Obra Completa de C.G. Jung
Volume 8/3

Sincronicidade

Comissão responsável pela organização do lançamento da Obra Completa de C.G. Jung em português:
Dr. Léon Bonaventure
Dr. Leonardo Boff
Dora Mariana Ribeiro Ferreira da Silva
Dra. Jette Bonaventure

A comissão responsável pela tradução da Obra Completa de C.G. Jung sente-se honrada em expressar seu agradecimento à Fundação Pro Helvetia, de Zurique, pelo apoio recebido.

Dados Internacionais de Catalogação na Publicação (CIP)
(Câmara Brasileira do Livro, SP, Brasil)

Jung, Carl Gustav, 1875-1961
  Sincronicidade / C.G. Jung ; tradução Mateus Ramalho Rocha. – 21. ed. – Petrópolis, RJ : Vozes, 2014.

  Título original: *Die Dynamik des Unbewussten*

  Bibliografia.

  17ª reimpressão, 2025.

  ISBN 978-85-326-0326-5

  1. Psicanálise 2. Sincronicidade I. Título.

07-7068   CDD-150.1954

Índices para catálogo sistemático:

1. Sincronidade: Psicologia junguiana   150.1954

C.G. Jung

Sincronicidade

8/3

EDITORA
VOZES

Petrópolis

© 1971, Walter-Verlag, AG, Olten

Tradução do original em alemão intitulado: *Die Dynamik des Unbewussten (Band 8) III-Synchronizität als ein Prinzip akausaler Zusammenhänge*

Editores da edição suíça:
Marianne Niehus-Jung
Dra. Lena Hurwitz-Eisner
Dr. Med. Franz Riklin
Lilly Jung-Merker
Dra. Fil. Elisabeth Rüf

Direitos exclusivos de publicação em língua portuguesa:
1984, Editora Vozes Ltda.
Rua Frei Luís, 100
25689-900 Petrópolis, RJ
www.vozes.com.br
Brasil

Todos os direitos reservados. Nenhuma parte desta obra poderá ser reproduzida ou transmitida por qualquer forma e/ou quaisquer meios (eletrônico ou mecânico, incluindo fotocópia e gravação) ou arquivada em qualquer sistema ou banco de dados sem permissão escrita da editora.

Conselho editorial

Diretor
Volney J. Berkenbrock

Editores
Aline dos Santos Carneiro
Edrian Josué Pasini
Marilac Loraine Oleniki
Welder Lancieri Marchini

Conselheiros
Elói Dionísio Piva
Francisco Morás
Teobaldo Heidemann
Thiago Alexandre Hayakawa

Secretário executivo
Leonardo A.R.T. dos Santos

Produção editorial

Anna Catharina Miranda
Eric Parrot
Jailson Scota
Marcelo Telles
Mirela de Oliveira
Natália França
Priscilla A.F. Alves
Rafael de Oliveira
Samuel Rezende
Verônica M. Guedes

Tradução: Dom Mateus Ramalho Rocha, OSB
Diagramação: AG.SR Desenv. Gráfico
Capa: 2 estúdio gráfico

ISBN 978-85-326-2424-6 (Obra Completa de C.G. Jung)

ISBN 978-85-326-0326-5 (Brasil)
ISBN 3-350-40708-9 (Suíça)

Este livro foi composto e impresso pela Editora Vozes Ltda.

Sumário

Prefácio dos editores, 7

XVIII Sincronicidade: Um princípio de conexões acausais, 11
    Prefácio deste volume, 11
    A. Exposição, 12
    B. Um experimento astrológico, 52
    C. Os precursores da Sincronicidade, 75
    D. Conclusão, 96
   A Sincronicidade, 111

Referências, 125

Índice onomástico, 131

Índice analítico, 133

Prefácio dos editores

O volume 8 da Obra Completa compreende sobretudo trabalhos em que são expostos os conhecimentos fundamentais e as hipóteses de trabalho essenciais de C.G. Jung. Seis ensaios provêm do livro *Über psychische Energetik und das Wesen der Träume* (*A respeito da energética psíquica e da natureza dos sonhos*), publicado pela primeira vez em 1948. Com estes escritos Jung tomou posição, naquela altura, a respeito das críticas e objeções que se levantavam contra sua obra *Wandlungen und Symbole der Libido* (*Transformações e símbolos da libido,* publicada em 1912; nova edição, com o título: *Symbole der Wandlung – Símbolos da transformação –* publicada em 1952; OC, 5). Desta forma, ele documentou e ampliou sua teoria da libido, que principiou a elaborar em torno de 1912, mas que só concluiu em 1928. Nesse entretempo, discutiu os conceitos psicanalíticos de Freud, no ensaio "Versuch einer Darstellung der Analytischen Theorie" ("Tentativa de exposição da teoria analítica") (1913; OC, 4), e resumiu de maneira muito clara suas próprias experiências e ideias. Todos estes trabalhos constituem o pressuposto básico para a compreensão da Psicologia Analítica ou Complexa.

É sobretudo o capítulo "Considerações teóricas sobre a natureza do psíquico" que nos permite conhecer o ponto de vista epistemológico do autor. Nesse trabalho são analisados os conceitos de "consciência" e "inconsciente" na sua evolução histórica e em sua vinculação com o conceito de instinto. Esta questão preocupava Jung já desde 1919, como se pode deduzir de seu escrito "Instinkt und Unbewusstes" ("Instinto e inconsciente"). O resultado desses estudos proporcionou-lhe as bases para a sua teoria dos arquétipos.

"Sincronicidade: um princípio de conexões acausais" foi incluído neste volume porque versa sobre fatos determinados pelos instintos ou pelos arquétipos e que não podem ser compreendidos mediante o princípio da causalidade. Trata-se, pelo contrário, de coincidências significativas que trazem uma nova dimensão à compreensão científica. O fato de Jung ter hesitado em publicar este escrito que vinha revolucionar a ciência parece-nos muito compreensível. Ele só veio a publicá-lo juntamente com um ensaio do famoso físico e detentor do Prêmio Nobel, Prof. W. Pauli, da Eidgenössische Technische Hochschule (Escola Superior Técnica Federal) de Zurique, em *Naturerklärung und Psyche* (*Explicação da natureza e psique*) (Zurique: Rascher, 1952). A teoria da sincronicidade mostra-nos a existência de conexões entre os conhecimentos da moderna Física e a Psicologia Analítica, em um campo fronteiriço ainda bem pouco explorado e de difícil acesso da realidade.

Em torno destes três trabalhos fundamentais se agrupam os estudos tematicamente conexos. Além dos mencionados ensaios: "A respeito da energia psíquica e da natureza dos sonhos", o espaço maior é ocupado por estudos isolados, extraídos dos livros *Von den Wurzeln des Bewusstseins* (*As raízes da consciência*) (1954) e *Wirklichkeit der Seele* (Realidade da alma) (1934), bem como *Seelenprobleme der Gegenwart* (Problemas espirituais da atualidade) (1931).

Atenção especial merecem aqui mais dois outros estudos: "As etapas decisivas da vida" e "A função transcendente". O ensaio "As etapas da vida humana" se ocupa com o problema do processo de individuação, tarefa que se coloca principalmente na segunda metade da existência, ao passo que "A função transcendente" – escrito em 1916, mas só publicado quarenta anos mais tarde – analisa o caráter prospectivo dos processos inconscientes. É daqui que os estudos de Jung sobre a "imaginação ativa", componente essencial da experiência psíquica e das discussões no âmbito da Psicologia Analítica, têm o seu ponto de partida.

Os trabalhos menores sobre cosmovisão, realidade e suprarrealidade, sobre espírito e vida, assim como sobre a crença nos espíritos, ocupam-se com conceitos teóricos, sob um ponto de vista empírico. O autor procura também entender essas questões em seu aspecto fenomenológico, para, em seguida, explorá-las sob o ponto de vista psicológico.

Para a edição do presente volume, a comunidade herdeira das obras de Jung nomeou a Sra. Lilly Jung-Merker e a Srta. Dra. Elisabeth Rüf como novas integrantes do corpo editorial. O índice onomástico e o índice analítico foram elaborados pela Srta. Marie-Luise Attenhofer e pela Sra. Sophie Baumann-van Royen e, posteriormente, pelo Sr. Jost Hoerni. A eles deixamos aqui expresso o nosso agradecimento pelo seu cuidadoso trabalho. Na tradução dos textos gregos e latinos tivemos a assistência da Dra. Marie-Louise von Franz, trabalho este que merece todo nosso agradecimento.

Pelos editores,
F.N. Riklin

XVIII

Sincronicidade: Um princípio de conexões acausais[1]

PREFÁCIO DESTE VOLUME

Ao escrever este trabalho, cumpro, por assim dizer, uma promessa que por muitos anos não tive coragem de realizar. As dificuldades do problema e de sua apresentação me pareciam imensas; por demais grande era a responsabilidade intelectual sem a qual não se podia tratar um tema desta natureza; e, por fim, totalmente inadequada era minha preparação científica. Se venci minha hesitação e, afinal, enfrentei o problema, foi sobretudo porque minhas experiências com os fenômenos de sincronicidade se acumularam década após década, enquanto, por outro lado, minhas pesquisas sobre a história dos símbolos e, em particular, sobre o símbolo do peixe, aproximaram-me cada vez mais do problema e, afinal, porque eu vinha fazendo referências à existência deste fenômeno aqui e acolá em meus escritos, já durante vinte anos, sem porém discuti-lo mais demoradamente. Eu gostaria agora de pôr um termo, ainda que temporariamente, a este estado de coisas insatisfatórias, tentando apresentar resumidamente tudo o que tenho a dizer sobre este tema. Espero que não considerem uma presunção, de minha parte, exigir de meus leitores uma atitude de abertura e de boa vontade. Não somente se pede a eles que se aventurem pelos domínios da experiência humana, obscuros e criva-

---

1. Publicado juntamente com uma monografia de Wolfgang Pauli, *Der Einfluss archetypischer Vorstellungen auf die Bildung naturwissenschaftlicher Theorien bei Kepler*, no volume *Naturerklärung und Psyche*, Studien aus dem C.G. Jung-Institut IV.

dos de preconceitos; as dificuldades intelectuais são as mesmas que o tratamento e a elucidação de um assunto tão abstrato como este forçosamente trazem consigo. Como qualquer um poderá ver, depois de ler algumas páginas, não se trata absolutamente de uma descrição e de uma explanação completa destes complicados fenômenos, mas tão somente de uma tentativa de abordar o problema de maneira tal que se possa ter uma visão, senão de todos, pelo menos de alguns de seus inúmeros aspectos e conexões, e deste modo abrir o caminho para um domínio ainda tão obscuro, mas filosoficamente de maior importância. Como psiquiatra e psicoterapeuta, eu tenho entrado frequentemente em contato com os fenômenos em questão e pude, sobretudo, convencer-me do quanto eles significam para a experiência interior do homem. Na maioria das vezes eram coisas de que as pessoas não falam, com medo de se exporem a um ridículo insensato. Espantava-me de ver quantas pessoas tinham experiências desta natureza e como este segredo era cuidadosamente ocultado. Assim, meu interesse por este problema tem sua razão de ser não somente científica mas também humana.

817 Ao realizar este meu trabalho, tive o interesse e o apoio decidido de uma série de personalidades que são mencionadas no decorrer do texto. Aqui gostaria de expressar meu particular agradecimento à Dra. L. Frey-Rohn pela dedicação com que providenciou o material astrológico.

Agosto de 1950.

C.G. Jung

A. Exposição

818 As descobertas da Física moderna, como bem sabemos, produziram uma mudança significativa em nossa imagem científica do mundo, por haverem abalado a validade das leis naturais, tornando-as relativas. As leis naturais são verdades estatísticas, vale dizer que elas só são inteiramente válidas quando lidamos com quantidades microfísicas. No âmbito de quantidades muito pequenas a predição torna-se incerta, quando não impossível, porque as quantidades muito pequenas já não se comportam de acordo com as leis naturais conhecidas.

O princípio filosófico em que baseio minha concepção das leis naturais é o da causalidade. Se o nexo entre causa e efeito é apenas estatisticamente válido e só relativamente verdadeiro, o princípio da causalidade, em última análise, só pode ser utilizado de maneira relativa, para explicar os processos naturais e, por conseguinte, pressupõe a existência de um ou mais fatores necessários para esta explicação. Isto é o mesmo que dizer que a ligação entre os acontecimentos, em determinadas circunstâncias, pode ser de natureza diferente da ligação causal e exige um outro princípio de explicação.

819

Naturalmente procuraremos em vão, no mundo macrofísico, acontecimentos acausais, pela simples razão de que somos incapazes de imaginar acontecimentos inexplicáveis e sem relação causal. Tudo isto não quer dizer que tais acontecimentos não existam. Sua existência – pelo menos como possibilidade – deriva logicamente da premissa da verdade estatística.

820

A preocupação do método científico experimental é constatar a existência de acontecimentos regulares que podem ser repetidos. Consequentemente, acontecimentos únicos ou raros não entram em linha de conta. Além disto, o experimento impõe condições limitativas à natureza, porque o seu escopo é fazer com que esta forneça respostas às perguntas formuladas pelo homem. Qualquer resposta da natureza é, por conseguinte, influenciada pelo tipo de perguntas que foram feitas, e o resultado é sempre um produto híbrido. A chamada visão científica do mundo, baseada neste resultado, nada mais é, portanto, do que uma visão parcial psicologicamente tendenciosa que deixa de lado todos aqueles aspectos, em nada desprezíveis, que não podem ser estatisticamente contados. Mas para captar de um modo ou de outro estes acontecimentos únicos ou raros, parece que dependemos de descrições igualmente "únicas" e individuais. Isto resultaria em uma coleção caótica de curiosidades semelhantes àqueles velhos gabinetes de história natural onde, lado a lado com fósseis e monstros anatômicos guardados em vidros, encontram-se o chifre de um unicórnio, o homúnculo da mandrágora e uma sereia mumificada. As ciências descritivas, e sobretudo a Anatomia no sentido mais amplo, conhecem muito bem esses "espécimes únicos", e aqui basta um só exemplar de um organismo, mesmo sumamente duvidoso,

821

para comprovar sua existência. Na verdade, neste caso, numerosos biólogos poderão convencer-se de que tal criatura existe, baseados tão somente no testemunho dos próprios sentidos. Mas, onde se trata de acontecimentos efêmeros que não deixam outros traços demonstráveis atrás de si, afora lembranças fragmentárias na cabeça dos indivíduos, já não é suficiente apenas uma testemunha isolada, e nem mesmo várias testemunhas, para conferir credibilidade a um único acontecimento. Todos nós conhecemos suficientemente a precariedade do depoimento de qualquer testemunha! Nestas circunstâncias, nós nos defrontamos com a necessidade imperiosa de verificar se o acontecimento aparentemente único é realmente único nas experiências registradas, ou se alhures não se encontram também outros acontecimentos iguais ou pelo menos semelhantes. Aqui o *consensus omnium* desempenha um papel muito importante, embora empiricamente um pouco incômodo. Somente em casos excepcionais o *consensus omnium* se mostra válido. O empirista não deixará de levá-lo em conta, mas melhor fará se não se apoiar neles. Acontecimentos absolutamente únicos e efêmeros, cuja existência não tenho meios de negar nem de provar, nunca podem ser objetos de uma ciência empírica. Acontecimentos raros podem muito bem sê-lo, desde que haja um número suficiente de observações individuais confiáveis. A chamada possibilidade de tais eventos não goza de nenhuma importância, porque o critério do possível deriva de pressupostos da época racionalista. Não há leis naturais absolutas cuja autoridade se possa invocar em apoio de seus preconceitos. O máximo que se pode exigir, para sermos justos, é que o número de observações individuais seja o mais elevado possível. Se este número, estatisticamente considerado, permanecer nos limites da probabilidade, então estará provado estatisticamente que se trata de uma probabilidade de acaso, mas isto não nos fornece nenhuma explicação. Houve apenas uma exceção à regra. Se o número dos indicadores de um complexo, por exemplo, estiver abaixo do número provável de distúrbios esperados numa experiência de associações, isto não é justificativa para se supor que aqui não existe um complexo. Mas este fato não impediu antigamente de se considerar os distúrbios provocados pelas reações como meras casualidades.

Embora a Biologia seja justamente um domínio em que as explicações causais muitas vezes parecem muito pouco satisfatórias ou quase de todo impossíveis, não pretendemos ocupar-nos aqui com o problema da Biologia, mas antes com a questão se não há um domínio geral onde os acontecimentos acausais sejam não somente possíveis mas também reais.

Ora, em nossa experiência existe um domínio imenso cuja extensão contrabalança, por assim dizer, o domínio das *leis*: é o mundo do acaso[2], onde parece que este último não tem ligação casual com o fato coincidente. Por isto examinaremos um pouco mais detidamente, sobretudo a natureza e o conceito de acaso. Geralmente admitimos que o acaso é suscetível de alguma explicação causal, e só pode ser chamado "acaso" ou "coincidência", porque sua causalidade ainda não foi descoberta. Como temos uma convicção arraigada a respeito da validade absoluta da lei da causalidade, achamos que esta explicação do acaso é suficiente; mas se o princípio da causalidade só é válido relativamente, segue-se que a imensa maioria dos acasos pode ser explicada em sentido causal; contudo deve restar um pequeno número de casos que não tem qualquer ligação causal. Encontramo-nos, assim, diante da tarefa de selecionar os acontecimentos casuais e separar os acausais dos que podem ser explicados causalmente. É de supor, naturalmente, que o número dos acontecimentos que podem ser explicados causalmente superam de muito os acontecimentos suspeitos de acausalidade e, por esta razão, um observador superficial ou preconceituoso pode facilmente ignorar os fenômenos acausais relativamente raros. Logo que passamos a lidar com o problema do acaso, defrontamo-nos com a necessidade de uma avaliação *quantitativa* dos acontecimentos em questão.

Não é possível a seleção do material empírico sem critérios de diferenciação. Como podemos reconhecer as combinações acausais dos eventos, visto que é, evidentemente, impossível examinar todos os acontecimentos com relação à sua causalidade? A resposta a esta

822

823

824

---

2. As palavras "acaso", "acidente", "associação" [no sentido de ideia súbita, intuição] são significativas, pois indicam aquilo que acontece ao homem como se fosse atraído por ele.

pergunta é que se devem esperar eventos acausais sobretudo onde, após demorada reflexão, parece-nos impensável uma conexão causal. Como exemplo, gostaria de citar a chamada "duplicação de casos", fenômeno bem conhecido dos médicos. Ocasionalmente há uma triplicação ou até mesmo mais, de sorte que Kammerer pode falar de uma "lei da série", de que ele nos fornece excelentes exemplos[3]. Na maioria dos casos não há sequer a mais longínqua probabilidade de um nexo causal entre os acontecimentos coincidentes. Quando, por exemplo, vejo-me diante do fato de que meu bilhete para o metrô tem o mesmo número que o bilhete de entrada para o teatro que compro logo em seguida, e que, na mesma noite, recebo um telefonema no qual a pessoa que me telefona me comunica o número do aparelho igual ao dos referidos bilhetes, parece sumamente improvável que haja um nexo causal entre estes fatos, e imaginação nenhuma, por mais ousada que possa ser, seria capaz de descobrir como tal coisa poderia acontecer, embora seja também evidente que cada um desses casos tem sua própria causalidade. Por outro lado, porém, sei que os acontecimentos acidentais têm uma tendência a formar grupos aperiódicos – o que sucede necessariamente, porque, de outro modo, só haveria uma ordenação periódica e regular de acontecimentos que, por definição, exclui a causalidade.

825   Kammerer, porém, é de opinião que, embora as séries[4] ou sucessões de acasos não estejam submetidas à ação de uma causa comum[5], isto é, embora sejam acausais, elas são uma expressão da inércia, da capacidade geral de persistência[6]. Ele explica a simultaneidade de "séries de coisas semelhantes lado a lado" como sendo "imitação"[7]. Mas com isto ele se contradiz a si próprio, porque a série de casuali-

---

3. KAMMERER, P. *Das Gesetz der Serie*. Stuttgart/Berlim: [s.e.], 1919.
4. Ibid., p. 130.
5. Ibid., p. 36, 93s. e 102s
6. Ibid., p. 117: *"A lei das séries é uma expressão da inércia dos objetos implicados na sua repetição (isto é, que produzem a série)*. A inércia imensamente maior de um complexo de objetos e de forças (comparativamente àquela dos objetos e forças individuais) explica a persistência de uma constelação idêntica e a simultaneidade de repetições por um período de tempo muito longo" etc.
7. Ibid., p. 130.

dades não "saiu do âmbito do explicável"[8], mas, como seria de esperar, está incluída neles e, por isto, pode ser reduzida, quando não a uma causa comum, pelo menos a algumas poucas. Seus conceitos de *serialidade, imitação, atração* e *inércia* pertencem a uma visão do mundo concebida causalmente e nada mais nos dizem senão que a série de casualidades corresponde à probabilidade estatística e matemática. O material fatual de Kammerer contém apenas séries de casualidades cuja única "lei" é a probabilidade; em outras palavras: para ele não existe uma razão aparente para buscar qualquer outra coisa por detrás desses eventos. Mas, por alguma razão obscura, o que ele busca por detrás desses eventos é muito mais do que a simples garantia de probabilidades – procura uma *lei da serialidade* que ele gostaria de introduzir como princípio, ao lado da causalidade e da finalidade[9]. Mas, como dissemos, esta tendência não é, de modo algum, justificada pelo seu material. Só posso explicar esta contradição evidente, supondo que ele tem uma intuição, obscura mas fascinante, de um arranjo e de uma combinação acausais dos acontecimentos, provavelmente porque, como todos os temperamentos reflexivos e sensíveis, ele não pode furtar-se à impressão peculiar que as séries de casualidades costumam produzir sobre nós, e, por isto, em conformidade com sua orientação científica, postulou ousadamente uma serialidade acausal, com base no material empírico, serialidade esta que se situa dentro dos limites da probabilidade. Infelizmente, Kammerer tentou uma avaliação quantitativa da serialidade. Um empreendimento desta natureza certamente suscitaria questões difíceis de responder. O método de investigação dos casos individuais pode ser muito útil para uma orientação geral, mas só a avaliação quantitativa ou o método estatístico prometem resultados com relação ao problema da causalidade.

---

8. Ibid., p. 94.

9. A numinosidade de uma série de acasos cresce em proporção direta com o número de seus termos. Em virtude disto, constelam-se conteúdos inconscientes (provavelmente arquetípicos) dando-nos a impressão de que a série foi "causada". Visto que não podemos imaginar como isto seja possível sem categorias realmente mágicas, geralmente nos satisfazemos com a simples impressão.

826   Os agrupamentos ou séries de casualidades não têm sentido, pelo menos para o nosso modo atual de pensar, e situam-se, quase sem exceção, dentro dos limites da probabilidade. Existem, contudo, certos casos cujo caráter aleatório pode dar ocasião a dúvidas. Tomarei apenas um exemplo dentre muitos: No dia primeiro de abril de 1949 anotei o seguinte: Hoje é sexta-feira. Teremos peixe no almoço. Alguém mencionou de passagem o costume do "peixe de abril". De manhã, eu anotara uma inscrição: *Est homo totus medius piscis ab imo* (o homem todo é peixe pela metade, na parte de baixo). À tarde, uma antiga paciente, que eu já não via desde vários meses, mostrou-me algumas figuras extremamente impressionantes de peixes que ela pintara nesse entretempo. À noite, mostraram-me uma peça de bordado que representava um monstro marinho com figura de peixe. No dia dois de abril, de manhã cedo, uma outra paciente antiga, que eu já não via desde vários anos, contou-me um sonho no qual estava à beira de um lago e via um grande peixe que nadava em sua direção e "aportava", por assim dizer, em cima de seus pés. Por esta época, eu estava empenhado numa pesquisa sobre o símbolo do peixe na História. Só uma das pessoas mencionadas tem conhecimento disto.

827   A suspeita de que este caso seja talvez uma *coincidência significativa*, isto é, uma conexão acausal, é muito natural. Devo confessar que esta sucessão de acontecimentos me causou impressão. Ela tinha para mim um certo caráter numinoso. Em tais circunstâncias somos inclinados a dizer: "Isto não pode ser obra do acaso", sem sabermos o que dizemos. Kammerer certamente me teria lembrado aqui a sua "serialidade". A força da impressão causada em mim, porém, nada prova contra a coincidência casual de todos esses peixes. Sem dúvida, é de todo estranho que o tema do "peixe" tenha-se repetido não menos de seis vezes, no espaço de vinte e quatro horas. Mas é preciso não esquecer que comer peixe na sexta-feira é coisa comum. No dia primeiro de abril é fácil nos lembrarmos do "peixe de abril". Por essa época, eu estava empenhado no estudo do símbolo do peixe havia já vários meses. Os peixes ocorrem frequentemente como símbolos dos conteúdos inconscientes. Por isto, me parece não haver nenhuma justificação possível para ver nestes fatos justamente não mais do que um grupo de acontecimentos casuais. Sucessões ou séries compostas de fa-

tos muito comuns devem ser consideradas por enquanto como fortuitas[10]. Qualquer que seja a sua extensão, elas devem ser excluídas como conexões acausais, porque não se sabe de que modo prová-las. Por isso, em geral se admite que todas as coincidências são golpes do acaso e, consequentemente, dispensam qualquer interpretação acausal[11]. Esta opinião pode, e de fato deve, ser considerada verdadeira enquanto não se provar que sua frequência excede os limites da probabilidade. Mas no dia em que houver esta prova, ficará demonstrado também que há genuínas combinações acausais de acontecimentos cuja explicação ou interpretação se deverá postular um fator incomensurável com a causalidade, porque seria preciso, então, admitir que os acontecimentos em geral estivessem relacionados uns com os outros, por um lado, como cadeias causais e, por outro lado, também por uma espécie de *conexão cruzada significativa*.

Eu gostaria de falar aqui sobre um tratado de Schopenhauer: *Über die anscheinende Absichtlichkeit im Schicksale des Einzelnen* (A intencionalidade aparente no destino do indivíduo) (*Parerga und Paralipomena*, vol. 1), que serviu de padrinho aos conceitos que desenvolverei a seguir. Ele trata da "simultaneidade... daquilo que *não tem* conexão causal, a qual chamamos de casualidade..." (cf. KOEBER, p. 40s.). Schopenhauer ilustra esta simultaneidade com uma analogia geográfica onde os *paralelos* apresentam uma conexão cruzada entre os *meri-*

828

---

10. Para completar o que acabo de dizer, gostaria de mencionar que escrevi estas linhas às margens de nosso Lago [Lago de Zurique]. Assim que terminei esta frase, dei algumas passadas sobre a amurada do Lago: ali encontrei um peixe morto, com cerca de 30cm, aparentemente sem ferimentos. Na tarde do dia anterior não havia ali ainda peixe algum. (Provavelmente fora retirado das águas por alguma ave de rapina ou por um gato). O peixe era o sétimo na série.

11. Às vezes nos sentimos um tanto embaraçados quando se trata de dizer o que pensamos do fenômeno que Stekel chama de "compulsão do nome" (*Mollsche Zeitschrift f. Psychotherapie*, III [1911], p. 110s.). Trata-se, às vezes, de coincidências grotescas entre o nome e as peculiaridades de uma pessoa. Assim, por exemplo, o Sr. Gross [Grande] tem mania de grandeza, o Sr. Kleiner [Pequeno] tem complexo de inferioridade. Duas irmãs Altmann [Homem velho] casam-se com homens 20 anos mais velhos do que elas. O Sr. Feist [Barrigudo] é ministro da Alimentação; o Sr. Rosstaüscher [Enganador de cavalos] é advogado; o Sr. Kalberer [Cuidador de bezerros] é obstetra; o Sr. Freud [Alegre] defende o princípio do prazer; o Sr. Adler [Águia] é defensor da vontade do poder; o Sr. Jung [Jovem] professa a ideia da reencarnação etc. Tudo isto são caprichos absurdos do acaso ou efeitos sugestivos do nome, como Stekel parece admitir, ou "coincidências significativas"?

dianos que são concebidos como cadeias causais (p. 39). "Todos os acontecimentos da vida de uma pessoa estariam, consequentemente, em duas espécies de conexão fundamentalmente diferentes: em primeiro lugar, numa conexão objetiva causal do processo natural; em segundo lugar, numa relação subjetiva que só existe com respeito ao indivíduo que a experimenta, e que é, portanto, tão subjetiva quanto os seus próprios sonhos... O fato de essas duas espécies de conexão existirem simultaneamente e o mesmo fato, embora sendo um elo entre duas cadeias inteiramente diferentes, encaixar-se perfeitamente entre as duas, de sorte que o destino de um indivíduo se ajuste ao destino dos outros e cada um seja seu próprio herói e, ao mesmo tempo, o figurante num drama alheio, é realmente algo que ultrapassa a nossa capacidade de compreensão e só pode ser concebido em virtude da maravilhosíssima *harmonia praestabilita* (harmonia preestabelecida)" (p. 45). Na sua opinião, o "sujeito do grande sonho da vida... é um só", isto é, a *vontade*, a *prima causa*, de onde se irradiam todas as cadeias causais como os meridianos do polo e, graças aos paralelos circulares, acham-se entre si numa *relação de simultaneidade* significativa[12]. Schopenhauer acredita no determinismo absoluto do processo natural e, ainda, numa causa primeira. Nada existe que abone essas duas concessões. A causa primeira é um mitologema e só merece crédito quando aparece sob a forma do velho paradoxo Ἓν τὸ πᾶν (todas as coisas são uma só), ou seja, ao mesmo tempo, como unidade e multiplicidade. A ideia de que os pontos simultâneos situados nos meridianos das cadeias causais representam coincidências significativas, só teria possibilidade de aceitação, se a unidade da *causa prima* fosse comprovada. Mas se fosse uma multiplicidade, como realmente pode ser, toda a explicação de Schopenhauer ruiria por terra, independentemente do fato, só recentemente observado, de que a validade da lei natural é apenas estatística e, deste modo, deixa a porta aberta para o indeterminismo. Por conseguinte, nem a reflexão filosófica nem a experiência comprovam a existência dessas duas espécies de conexão nas quais a mesma coisa é simultaneamente sujeito e objeto. Schopenhauer pensou escrever numa época em que a causalidade tinha validade absoluta como categoria *a priori* e, por isto, devia ser citada, para explicar coincidências significativas. Mas, como vimos, ela só podia desempenhar

---

12. Daí o termo "sincronicidade" por mim empregado.

esta função com alguma probabilidade de êxito se recorresse ao outro pressuposto, também arbitrário, da unidade da *prima causa*. Segue-se, como uma espécie de necessidade, que cada ponto situado num dado meridiano está numa relação de coincidência significativa com cada um dos outros pontos situados no mesmo grau de latitude. Mas esta conclusão ultrapassa os limites do estatisticamente possível, porque atribui à coincidência significativa uma existência ou ocorrência de tal modo regular e sistemática, que sua verificação seria inteiramente desnecessária ou a coisa mais simples do mundo. Os exemplos apresentados por Schopenhauer são tanto ou menos convincentes quanto os outros. Mas o seu grande mérito foi o de ter visto o problema e compreendido que não há explicações fáceis *ad hoc* para eles. Como este problema atinge os fundamentos de nosso conhecimento em geral, Schopenhauer o extraiu, de acordo com sua filosofia, de um pressuposto transcendental, da *vontade*, que cria a vida e o ser em todos os níveis e sintoniza cada um destes níveis entre si, de tal maneira que está em harmonia não só com seus paralelos sincrônicos, mas prepara e dispõe os eventos futuros sob a forma de *Fatalidade* (*Fatum*) ou Providência.

Em contraste com o pessimismo de Schopenhauer, este ponto de vista tem um tom quase cordial e otimista de que hoje em dia dificilmente conseguimos partilhar. Um dos séculos mais momentosos e, ao mesmo tempo, problemáticos que o mundo jamais conheceu nos separa daquela época ainda medieval em que o espírito filosofante acreditava que podia fazer afirmações para além daquilo que poderia ser demonstrado empiricamente. Mas aquela época tinha uma visão mais ampla que não se detinha nem pensava que os limites da natureza tinham sido alcançados justamente onde os construtores de estradas da ciência tinham feito uma parada provisória. Assim, Schopenhauer, com uma visão verdadeiramente filosófica, abriu um campo à reflexão cuja fenomenologia ele esboçou mais ou menos corretamente, embora sem entendê-la de maneira adequada. Ele reconheceu que os *omina* (agouros) e os *praesagia* (presságios), a Astrologia e os vários métodos intuitivos de interpretação dos acontecimentos casuais têm, todos eles, um denominador comum que ele procurou descobrir por meio de uma "especulação transcendental". Reconheceu, também corretamente, que se tratava de um problema de princípio de primeira ordem, ao contrário de todos aqueles que, depois dele, operaram com conceitos inúteis de "transferência de energia" ou

829

mesmo rejeitaram tranquilamente tudo isto como sendo um contrassenso, para evitarem uma tarefa difícil demais[13]. A tentativa de Schopenhauer é tanto mais notável quando sabemos que ela foi feita numa época que o avanço tremendo da ciência convenceu o mundo de que só a causalidade podia ser considerada como o último princípio de explicação. Em vez de ignorar simplesmente aquelas experiências que recusavam curvar-se ao domínio absoluto da causalidade, ele procurou, como já vimos, enquadrá-las na sua visão determinista do mundo. Deste modo, introduziu forçadamente no esquema causal aquilo que já muito antes dele estava na base da explicação da natureza como nova ordem universal, concomitante à ordem causal, ou seja, aquela da prefiguração, da correspondência e da harmonia preestabelecida, certamente pensando, também corretamente, que na visão do mundo baseada nas leis naturais, cuja validade ele não punha dúvida, faltava alguma coisa que desempenhara um papel considerável na concepção clássica e medieval (assim como desempenha no sentimento intuitivo do homem moderno).

830   A quantidade de fatos reunidos por Gurney, Myers e Podmore[14] estimulou Dariex[15], Richet[16] e C. Flammarion[17] a tratar do problema com base no cálculo das probabilidades. Dariex descobriu uma probabilidade de 1:4.114.545 para a precognição "telepática" da morte, o que significa que a explicação de tal fato premonitório como obra de acaso é, portanto, acima de um milhão de vezes mais improvável do que a coincidência "telepática" ou coincidência acausal significativa. O astrônomo Flammarion calculou uma probabilidade não inferior a 1:804.622.222 para um caso de *phantasms of living* (fantasmas dos

---

13. Aqui devo excetuar Kant, cujo tratado *Träume eines Geistersehers, erläutert durch Träume der Metaphysik* (Sonhos de um vidente espiritual explicados pelos sonhos da Metafísica) apontou o caminho a Schopenhauer.

14. GURNEY, E.; MYERS, F.W.H. & PODMORE, F. *Phantasms of the Living*. 2 vols. Londres: [s.e.], 1886.

15. DARIEX, X. "Le Hasard et la télépathie". *Annales des sciences psychiques*, I, 1891, p. 295-304, p. 300. Paris.

16. RICHET, C. "Relations de diverses expériences sur transmission mentale, la lucidité, et autres phénomènes non explicables par les données scientifiques actuelles". *Proceedings of the Society for Psychical Research*. V, 1888, p. 18-168. Londres.

17. FLAMMARION, C. *L'Inconnu et les problèmes psychiques*. Paris: [s.e.], 1900, p. 227s.

vivos), particularmente bem observado[18]. Ele foi também o primeiro a relacionar outros acontecimentos suspeitos com o interesse, então vigente, pelas precognições de morte. Assim, ele nos conta[19] que, certo dia, ao trabalhar na sua obra sobre a atmosfera, escrevia justamente o capítulo sobre a força dos ventos, quando, de repente, violenta rajada de vento varreu da sua escrivaninha todas as folhas soltas e as atirou pela janela afora. Ele também cita como exemplo de tríplice coincidência o episódio divertido de Monsieur de Fontgibu e o pudim de passas[20]. O fato de ele mencionar estas coincidências em conexão com o problema telepático nos mostra que Flammarion já tivera a intuição, ainda que inconsciente, de um princípio muito mais abrangente.

O escritor Wilhelm von Scholz[21] recolheu uma série de casos que nos mostram a maneira estranha como objetos perdidos ou roubados voltam a seus donos. Entre outras coisas ele menciona o episódio da mãe que bateu uma fotografia de um filhinho de quatro anos na Floresta Negra. Ela mandou revelar o filme em Estrasburgo. Mas, como, havia estourado a guerra (1914), ela não pôde mais reaver o filme, e o considerou perdido. Em 1916 comprou um filme em Frankfurt para bater a fotografia de uma filhinha que nascera nesse meio-tempo. Quando o filme foi revelado, verificou-se que ele tinha sido usado duas vezes: a segunda imagem era a fotografia do filhinho, que ela tirara em 1914! O antigo filme não fora revelado, e não se sabe como fora posto de novo à venda entre novos filmes. O autor chega à conclusão, em si compreensível, de que todos os indícios apontam para uma "for-

---

18. Ibid., p. 241.
19. Ibid., p. 228s.
20. Um certo M. Deschamps, quando menino em Orléans, recebeu uma vez um pedaço de pudim de passas dado por um certo M. de Fontgibu. Dez anos depois descobre ele um outro pudim de passas num restaurante de Paris, e pede um pedaço dele. Fica sabendo que o pudim já tinha sido encomendado por M. de Fontgibu. Vários anos depois M. Deschamps foi convidado para partilhar de um pudim de passas, como uma raridade especial. Enquanto o comia, ele observou que desta vez só faltava a presença de M. de Fontgibu. Neste momento a porta se abre e entra um senhor muito idoso e desorientado: M. de Fontgibu, que errara o endereço e irrompera por engano nessa reunião.
21. SCHOLZ, W. von. *Der Zufall*: Eine Vorform des Schicksals. Stuttgart: [s.e.], 1924.

ça de atração" destes objetos relacionados. Ele suspeita que os acontecimentos se dispuseram de tal modo, como se fossem o sonho de uma "consciência maior e mais abrangente, por nós desconhecida".

832   O problema do acaso foi tratado, do ponto de vista psicológico, por Herbert Silberer[22]. Ele provou que as coincidências aparentemente significativas são arranjos parcialmente inconscientes e interpretações arbitrárias parcialmente inconscientes. Ele não leva em conta nem os fenômenos parapsíquicos nem a sincronicidade, e teoricamente não vai além do causalismo de Schopenhauer. Afora a sua crítica oportuna e necessária à nossa maneira de avaliar o acaso, o estudo de Silberer não faz alusão à existência de verdadeiras coincidências significativas.

833   Só em época mais recente é que a prova decisiva da existência de combinações de acontecimentos acausais foi apresentada de maneira científica adequada, sobretudo através das experimentações de Rhine[23] e seus colaboradores, embora tais autores não tenham reconhecido as conclusões de longo alcance que se deveriam extrair de suas descobertas. Até o presente, nenhum argumento crítico irrefutável foi apresentado contra estas tentativas. Em princípio, a experimentação consistia em um experimentador retirar sucessivamente uma série de cartas de baralho, numeradas e contendo motivos geométricos, enquanto o sujeito de experimentação (SE), separado espacialmente do experimentador, tinha como tarefa identificar os respectivos desenhos. Foi usado um baralho de vinte e cinco cartas dividido em cinco grupos de cinco, cada um dos quais com um desenho especial. Cinco dessas cartas continham uma estrela, cinco um retân-

---

22. SILBERER, H. *Der Zufall und die Koboldstreiche des Unbewussten*. Berna/Lípsia: Schriften zur Seelenkunde und Erziehungskunst III, 1921.

23. RHINE, J.B. *Extra-Sensory Perception*. Boston: Boston Society for Psychic Research, 1934. Id. *New Frontiers of the Mind*, de que há uma tradução alemã: *Neuland der Seele*. PRATT, J.G. et al. *Extra-Sensory Perception after Sixty Years*. Nova York: [s.e.], 1940. Encontra-se um sumário dos resultados em RHINE, J.B. *The Reach of the Mind*. Londres: Faber & Faber, 1948, bem como no livro, cuja leitura se recomenda, de TYRRELL, G.N.M. *The Personality of Man*. Harmondsworth/Nova York: Penguin Books A 165., 1946. Um resumo breve mas substancioso, em RHINE, J.B. "An Introduction to the Work of Extra-Sensory Perception". *Transactions of the New York Academy of Sciences*, series II, XII, 1950, p. 164-168. Nova York, p. 164s.

gulo, cinco um círculo, cinco duas linhas onduladas e cinco uma cruz. As cartas eram retiradas sucessivamente do maço pelo experimentador, que desconhecia a disposição em que elas se achavam dentro do baralho. O sujeito da experimentação, que não tinha nenhuma possibilidade de ver as cartas, devia indicar, como podia, os sinais das cartas que eram retiradas. Muitas tentativas foram negativas, porque o resultado não ia além da probabilidade de cinco acertos alcançáveis por acaso. No caso de certos sujeitos de experimentação (SE), os resultados estavam nitidamente acima da probabilidade. A primeira série de experiências consistia em que cada SE tentasse adivinhar as cartas oitocentas vezes. O resultado médio foi de 6,5 acertos em vinte e cinco cartas, ou seja, 1,5 acima da probabilidade matemática, que é de cinco acertos. A probabilidade de haver um desvio casual de 1,5 em relação ao número 5 é de 1:250.000. Essa proporção nos mostra que a probabilidade de um desvio casual não é tão grande, porque só se espera um desvio casual de tal monta uma só vez em 250.000 casos. Os resultados individuais variam de acordo com os dotes específicos do SE. Um jovem que, em numerosas tentativas, alcançou a média de dez acertos em cada vinte e cinco cartas (o dobro, portanto, do número provável), de uma vez acertou todas as vinte e cinco cartas, o que corresponde a uma probabilidade de 1:298.023.223.876.953.125. A fim de evitar a possibilidade de as cartas serem baralhadas de forma intencional, usou-se um aparelho que as misturava automaticamente, isto é, independentemente da mão do experimentador.

Depois das primeiras séries de tentativas, a *distância espacial* entre o experimentador e o SE foi aumentada, em determinado caso, até 350 quilômetros. O resultado médio de numerosas tentativas aqui foi de 10,1 acertos em vinte e cinco cartas. Em outra série de tentativas, quando o experimentador e o SE se achavam na mesma sala, o resultado foi de 11,4 acertos em vinte e cinco cartas; quando o SE estava numa sala vizinha, foi de 9,7 por vinte e cinco; quando as duas salas estavam afastadas uma da outra, foi de 12,0 em vinte e cinco. Rhine menciona as experiências de Usher e Burt, realizadas com resultados positivos, a uma distância de mais de 960 léguas[24]. Com a

---

24. RHINE. *The Reach of the Mind*. Op. cit., p. 49.

ajuda de relógios sincronizados, fizeram-se também experimentações entre Durham (Carolina do Norte) e Zagreb, na Iugoslávia (cerca de 4.000 léguas), também com resultados positivos[25].

835   O fato de que a distância, em princípio, não tem influência no resultado, é prova de que o objeto aqui em estudo *não pode ser um fenômeno de força ou energia*, porque, do contrário, a superação da distância e a difusão no espaço deveriam causar uma diminuição do efeito e, como não é muito difícil de ver, o número de acertos deveria ser inversamente proporcional ao quadrado da distância. Como isto, evidentemente, não aconteceu, não resta alternativa senão admitir que a distância é fisicamente variável e, em determinadas circunstâncias, pode ser reduzida a zero por alguma disposição psíquica.

836   Mais notável ainda é o fato de que o tempo, em princípio, não é um fator negativo, isto é, a leitura antecipada de uma série de cartas a serem tiradas no futuro produz um número de acertos que ultrapassa os limites da probabilidade. Os resultados da experiência de Rhine com o tempo mostram uma probabilidade de 1:400.000, o que significa uma probabilidade considerável de que haja um fator independente do tempo. Os resultados da experimentação com o fator tempo aponta para uma *relatividade psíquica do tempo*, visto que se trata de percepções de acontecimentos que ainda não ocorreram. Em tais circunstâncias parece que o fator tempo foi eliminado por uma função psíquica, ou melhor, por uma disposição psíquica que é capaz de eliminar também o fator espaço. Se já nas experimentações com o fator espaço éramos obrigados a constatar que a energia não diminuía com a distância, nas experimentações com o fator tempo é totalmente impossível pensar sequer em uma relação energética qualquer entre a percepção e o acontecimento futuro. Por isto, devemos renunciar a todos os tipos de explicação em termos de energia, o que equivale dizer que os acontecimentos desta natureza não podem ser considerados sob o ponto de vista da *causalidade*, pois a causalidade pressupõe a existência do espaço e do tempo, uma vez que todas as observações se baseiam, em última análise, sobre corpos em movimento.

---

25. RHINE, J.B. & HUMPHREY, B.M. "A Transoceanic ESP Experiment". *Journal of Parapsychology*, VI, 1942, p. 52-74. Durham, Carolina do Norte, p. 52s.

Entre as experimentações de Rhine devemos mencionar também 837
aquelas realizadas com dados. O SE deve lançar os dados (o que pode
ser feito mediante um aparelho) e, ao mesmo tempo, deve desejar
que o número três, por exemplo, apareça o maior número possível
de vezes. Os resultados desta assim chamada experimentação PK
(psicocinética) foram positivos, e tanto mais vezes, quanto maior era
o número de dados utilizados de uma só vez[26]. Se o espaço e o tempo
são fatores psiquicamente relativos, o corpo em movimento deve
possuir também uma relatividade ou deve estar sujeito a ela.

Uma experiência constante em todos estes experimentos é o fato 838
de que o número de acertos tende a diminuir depois da primeira tentativa e os resultados são, consequentemente, negativos. Mas, se por
qualquer motivo exterior ou interior, ocorre uma reativação do interesse por parte do SE, o número de acertos volta a subir. A ausência
de interesse e o tédio são fatores negativos; a participação direta, a
expectativa passiva, a esperança e a fé na possibilidade da ESP
[*Extra-Sensory Perception*, percepção extrassensorial] melhoram os
resultados e, por isto, parecem constituir as condições adequadas
para que os mesmos se verifiquem. Neste contexto, é interessante observar que a famosa médium inglesa, Mrs. Eileen J. Garrett, alcançou
maus resultados nos experimentos de Rhine, porque, como ela própria confessou, foi incapaz de estabelecer qualquer relação afetiva
com cartas de experimentação sem alma.

Creio que bastam essas poucas indicações para dar ao leitor pelo 839
menos uma ideia superficial destas experimentações. O livro acima
mencionado de C.N.M. Tyrrell, atual presidente da Society for Psychological Research, contém um apanhado muito bom de todas as experiências registradas neste campo. O seu autor se distinguiu meritoriamente também na pesquisa em torno da ESP. Da parte dos físicos, as
experimentações ESP foram apreciadas em sentido positivo por Robert A. McConnell, em um artigo intitulado "ESP – Fact or Fancy?"[27]

É compreensível que se tenha procurado negar, com todos os 840
tipos possíveis de explicação, a validade destes resultados, que to-

---

26. *The Reach of the Mind*. Op. cit., p. 73s.
27. O Prof. W. Pauli chamou-me gentilmente a atenção para este trabalho, publicado em *The Scientific Monthly*, LXIX (1949), n. 2.

cam os limites do miraculoso e do claramente impossível. Tais tentativas, porém, fracassaram diante dos fatos, que até agora têm resistido a todas as provas contra sua existência. Os experimentos de Rhine nos põem diante do fato de que existem acontecimentos que estão relacionados *experimentalmente* (o que, neste caso, quer dizer *significativamente*) entre si, sem a possibilidade, porém, de provar que tal relação seja causal, visto que a "transmissão" não revela nenhuma das conhecidas propriedades da energia. Por isto, há boas razões para duvidar de que se trata efetivamente de uma "transmissão"[28]. Em princípio, as experimentações com o fator tempo excluem qualquer transmissão desse tipo, pois seria absurdo admitir que uma situação ainda não existente, e que só se dará no futuro, possa transferir-se como fenômeno energético para um receptor do presente[29]. Parece mais indicado dizer que a explicação deve começar, de um lado, com uma crítica ao nosso conceito de tempo e lugar e, do outro lado, com o inconsciente. Como eu já disse, é impossível, com os recursos atuais, explicar a *extra-sensory perception*, isto é, a coincidência significativa, como sendo um fenômeno da energia. Isto elimina a explicação causal, porque os "efeitos" não podem ser entendidos senão como um fenômeno da energia. Por isto, não se pode falar de causa e efeito, mas de uma coincidência no tempo, uma espécie de *contemporaneidade*. Por causa do caráter desta simultaneidade, escolhi o termo *sincronicidade* para designar um fator hipotético de explicação equivalente à causalidade. Em meu artigo "Der Geist der Psychologie" (Natureza da psique), *Eranos-Jahrbuch* XIV, 1946, p. 485s. [cf. a seção VIII deste volume], considerei a sincronicidade como uma relatividade do tempo e do espaço condicionada psiquicamente. Nas experiências de Rhine o tempo e o espaço se comportam, por assim dizer, "elasticamente" em relação à psique, podendo ser reduzidos, aparentemente, à vontade. Nas experiências com o tempo e o espaço, respectivamente, esses dois fa-

---

[28]. Não confundir com o termo "transferência", usado na psicologia das neuroses, termo este que designa a projeção de uma relação de parentesco.
[29]. Kammerer tratou, mas de maneira não de todo convincente, do "efeito contrário do estado subsequente sobre o estado precedente".

tores reduzem-se mais ou menos a zero, como se o espaço e o tempo dependessem de condições psíquicas, ou como se existissem por si mesmos e fossem "produzidos" pela consciência. Na concepção original do homem (isto é, entre os primitivos), o espaço e o tempo são coisas sumamente duvidosas. Só se tornaram um conceito "fixo" com o desenvolvimento espiritual do homem, graças à introdução do processo de medir. Em si, o espaço e o tempo consistem em *nada*. São conceitos hipostasiados, nascidos da atividade discriminadora da consciência e formam as coordenadas indispensáveis para a descrição do comportamento dos corpos em movimento. São, portanto, de *origem* essencialmente psíquica, e este foi, provavelmente, o motivo que levou Kant a considerá-los como categorias *a priori*. Mas, se o espaço e o tempo são propriedades aparentes dos corpos em movimento, criadas pelas necessidades intelectuais do observador, então sua relativização por uma condição psíquica, em qualquer caso, já não é algo de miraculoso, mas situa-se dentro dos limites da possibilidade. Contudo, esta possibilidade ocorre quando a psique observa, não o corpo exterior, mas a *si própria*. É o que acontece nas experimentações de Rhine: a resposta do sujeito da experimentação não é o produto da observação das cartas materiais, mas da pura imaginação, *das associações de ideias* que revelam a estrutura do inconsciente que as produz. Aqui quero apenas lembrar que são os fatores decisivos da psique inconsciente, os *arquétipos*, os que constituem a estrutura do inconsciente coletivo. Este último, porém, representa uma "psique" idêntica em todos os indivíduos, e não pode ser percebida nem observada diretamente, ao contrário dos fenômenos psíquicos perceptíveis; por esta razão eu a chamei de *psicoide* (*psychoid*).

Os arquétipos são fatores formais responsáveis pela organização dos processos psíquicos inconscientes: são os *patterns of behaviour* (padrões de comportamento). Ao mesmo tempo, os arquétipos têm uma "carga específica": desenvolvem efeitos numinosos que se expressam como *afetos*. O afeto produz um *abaissement de niveau mental* (baixa de nível mental) parcial, porque, justamente na mesma medida em que eleva um determinado conteúdo a um grau supranor-

841

mal de luminosidade, retira também tal quantidade de energia de outros conteúdos possíveis da consciência, a ponto que estes se tornam obscuros e inconscientes. Em consequência da restrição da consciência provocada pelo afeto, verifica-se uma diminuição do sentido de orientação, correspondente à duração do efeito, que, por seu lado, proporciona ao inconsciente uma oportunidade favorável de penetrar sutilmente no espaço que foi deixado vazio. Verificamos, quase de maneira regular, que conteúdos inesperados ou comumente inibidos e inconscientes irrompem e encontram expressão no afeto. Tais conteúdos são, muitas vezes, de natureza inferior ou primitiva e, assim, revelam sua origem arquetípica. Como mostrarei mais adiante, certos fenômenos de simultaneidade ou de sincronicidade parecem estar ligados aos arquétipos em determinadas circunstâncias. Esta é a razão pela qual eu menciono os arquétipos aqui.

842   O sentido extraordinário de orientação espacial dos animais talvez aponte também nessa direção da relatividade psíquica do tempo e do espaço. Poderíamos citar aqui a misteriosa orientação do verme-palolo no tempo. Os segmentos da cauda deste verme sobem à superfície do mar, carregados de produtos sexuais, na véspera do segundo quarto da Lua de outubro-novembro[30]. Uma das causas sugeridas para isto seria a aceleração do movimento da Terra, decorrente da força de gravitação da Lua neste período. Mas, por razões de natureza astronômica, esta explicação não é correta[31]. A relação que existe indubitavelmente entre o período de menstruação humana e o curso da Lua está ligada a este último apenas numericamente, e na realidade não coincide realmente com ele. Também não está provado que haja coincidido alguma vez.

---

30. Para sermos mais precisos: O "enxame" começa um pouco antes e termina um pouco depois deste dia. Nesse dia propriamente é que o "enxame" atinge o ponto máximo. Os meses mudam de acordo com a localidade. Informa-se que o verme-palolo, também dito wawo, de Amboina, aparece por ocasião da Lua cheia (KRÄMER, A.F. *Über den Bau der Korallenriffe.* Kiel/Lípsia: [s.e.], 1897).

31. DAHNS, F. "Das Schwärmen des Palolo". *Der Naturforscher,* VIII/11, 1932. Lichterfelde.

O problema da sincronicidade me tem ocupado há muito tempo, sobretudo a partir de meados dos anos de 1920[32], quando, ao investigar os fenômenos do inconsciente coletivo, deparava-me constantemente com conexões que eu não podia simplesmente explicar como sendo grupos ou "séries" de acasos. Tratava-se, antes, de "coincidências" de tal modo ligadas significativamente entre si, que seu concomitante "casual" representa um grau de improbabilidade que seria preciso exprimir mediante um número astronômico. Para exemplificar, citarei um caso extraído de minhas próprias observações: No momento crítico do tratamento, uma jovem paciente minha teve um sonho no qual recebia um escaravelho de ouro de presente. Enquanto ela me contava o sonho, eu estava sentado de costas para a janela fechada. De repente escutei um ruído por trás de mim, como se alguma coisa batesse de leve na janela. Voltei-me e vi um inseto alado se debatendo do lado de fora contra a vidraça da janela. Abri a janela e apanhei o inseto em pleno voo. Era a analogia mais próxima de um escaravelho de ouro que é impossível encontrar em nossas latitudes, um *escarabeídeo* da espécie *Cetonia aurata*, o "besouro-rosa comum". Contrariando seus próprios hábitos, ele se sentiu evidentemente compelido a entrar numa sala escura naquele dado momento. Devo dizer, desde logo, que nada de semelhante jamais me acontecera até então, nem me aconteceu depois, e o sonho de minha paciente permaneceu como um caso único em toda a minha experiência.

843

Neste contexto gostaria ainda de mencionar outro caso, típico de certa categoria de eventos. A mulher de um de meus pacientes, homem de seus cinquenta anos, contou-me certa vez, no decorrer de

844

---

32. Mesmo já muito antes desse tempo tive muitas dúvidas quanto à aplicabilidade ilimitada do princípio de causalidade em Psicologia. No Prefácio à 1ª edição de *Collected Papers on Analytical Psychology* (Coleção de escritos sobre a Psicologia Analítica), p. XV, eu escrevia: "Causality is only one principle and psychology essentially cannot be exhausted by causal methods only, because the mind (= psyche) lives by aims as well" ["A causalidade é apenas um princípio, e na realidade os métodos causais sozinhos não podem tratar exaustivamente da Psicologia, porque a mente (= psique) é também teleológica"]. A finalidade psíquica repousa em um significado "preexistente" que só se torna problemático quando é um arranjo inconsciente. Neste caso deve admitir-se uma espécie de "conhecimento" anterior a qualquer consciência. H. Driesch chegou também a esta conclusão (DRIESCH, H. *Die "Seele" als elementarer Naturfaktor*. Studien über die Bewegungen der Organismen. Lípsia: [s.e.], 1903, p. 80s.).

uma conversa, que, por ocasião da morte de sua mãe e sua avó, um grande número de pássaros reuniu-se do lado de fora, defronte à janela da câmara mortuária: uma narrativa semelhante à que ouvira, mais de uma vez, da boca de outras pessoas. Quando o tratamento do seu marido se encaminhava para o fim, com sua neurose eliminada, ele desenvolveu sintomas aparentemente desprezíveis, que eu relacionei com um mal do coração. Enviei-o a um especialista que, depois de examiná-lo, comunicou-me por escrito não haver podido constatar nenhuma causa de distúrbio. Ao voltar do consultório (com o diagnóstico médico no bolso), meu paciente teve um colapso no meio da rua. Enquanto era levado, moribundo, para casa, sua mulher se achava já em um estado de grande ansiedade, porque, logo que seu marido saíra para ir ao médico, um grande bando de pássaros pousara no telhado da casa. Naturalmente ela logo se lembrou dos incidentes parecidos, que ocorreram por ocasião da morte da mãe e da avó, e temeu o pior.

845   Embora eu conheça as pessoas envolvidas nestes acontecimentos e saiba, portanto, que os fatos aqui narrados são verdadeiros, contudo, não imagino, nem um momento sequer, que isto induza alguém que esteja determinado a considerar tais coisas como mero produto do acaso a mudar de pensar. Meu único objetivo, relatando estes dois fatos, é simplesmente o de dar alguma indicação sobre o modo como as coincidências significativas habitualmente se apresentam na vida prática. A conexão significativa é bastante clara no primeiro caso, em vista da identidade aproximada dos objetos principais (o escaravelho e o besouro); mas, no segundo caso, a morte e o bando de pássaros parecem incomensuráveis entre si. Se considerarmos que no Hades babilônico as almas trajavam "vestes de penas" e que no antigo Egito o ba, isto é, a alma, era concebido como pássaro[33], não será forçado admitir que se trate aqui de um simbolismo arquetípico. Se tal episódio tivesse ocorrido em sonho, semelhante interpretação seria absolutamente indicada, em face do material psicológico comparativo aí presente. Parece que há também uma base arquetípica no primeiro caso. Como já lembrei, era um caso extraordinariamente difícil de tratar e, até a época do sonho mencionado, não tinha havido quase

---

33. Em Homero as almas dos mortos esvoaçam "chilreando" (*Odisseia*, Cantos XI, 22 e XXIV, 5).

nenhum progresso. Para que se compreenda a situação do primeiro caso, devo explicar que o motivo principal era o *animus* de minha paciente, embebido de filosofia cartesiana, aferrando-se tão rigidamente a seu próprio conceito de realidade, que mesmo os esforços de três médicos (eu já era o terceiro), não foram capazes de atenuá-lo. Para isto, evidentemente, seria necessário um acontecimento de natureza irracional, que eu, naturalmente, não teria condições de produzir. O único resultado que o sonho conseguiu, assim mesmo ligeiramente, foi perturbar a atitude racionalista de minha paciente. Mas quando o escaravelho penetrou, voando, na realidade dos fatos, o ser natural dela pôde romper a couraça da possessão do *animus*, e o processo de transformação que acompanhava o tratamento tomou, pela primeira vez, um rumo certo. Qualquer mudança essencial na atitude significa uma renovação psíquica que vem quase sempre acompanhada de símbolos de renascimento, nos sonhos e fantasias do paciente. O escaravelho é um símbolo clássico de renascimento. O livro *Am-Tuat* do antigo Egito descreve a maneira como o deus-sol morto se transforma no Kheperâ, o escaravelho, na décima estação, e, a seguir, na duodécima estação, sobe à barcaça que trará o deus-sol rejuvenescido de volta ao céu matinal do dia seguinte. A única dificuldade, aqui, é que, muitas vezes, com as pessoas cultas não se pode excluir com certeza a possibilidade de criptomnésia (embora minha paciente não conhecesse esse símbolo). Note-se, de passagem, que o psicólogo se depara constantemente com casos desta natureza[34] nos quais o aparecimento de paralelos simbólicos não pode ser explicado satisfatoriamente sem a hipótese do inconsciente coletivo.

Os casos de *coincidências* significativas, que devemos distinguir dos grupos casuais, parecem repousar sobre fundamentos arquetípicos. Pelo menos os casos de minha experiência – e são em grande número – apresentam esta característica. Já indiquei acima o que isto quer dizer[35]. Embora quem tiver alguma experiência neste domínio

---

34. Naturalmente, o médico só pode verificar isto se possuir o necessário conhecimento da história do simbolismo.
35. Remeto o leitor ao que escrevi em Der Geist der Psychologie, *Eranos-Jahrbuch*, XIV (1946), [seção VIII: Considerações gerais sobre a natureza do psíquico, deste volume, § 404s.].

possa facilmente reconhecer o caráter arquetípico de tais fenômenos, contudo encontrará dificuldade em ligá-los às condições presentes nos experimentos de Rhine, porque aqui não há evidência de alguma constelação do arquétipo. Nem se trata também de situações emocionais, como as de meus exemplos. Devo, contudo, lembrar, antes de mais nada, que a primeira série de experimentação de Rhine geralmente produz os melhores resultados que, logo em seguida, diminuem rapidamente. Mas quando se consegue despertar um novo interesse pelo experimento (em si tedioso), os resultados voltam também a melhorar. Daí se conclui que o fator emocional desempenha um papel importante no experimento. A afetividade, porém, repousa grandemente nos instintos cujo aspecto formal é justamente o arquétipo.

847   Mas existe também uma analogia psicológica entre meus dois casos e o experimento de Rhine, embora não seja tão evidente. Estas situações, aparentemente diferentes, em tudo, uma da outra, têm como característica comum um certo elemento de *impossibilidade*. A paciente do escaravelho se encontrava em uma situação "impossível", porque seu tratamento estacionara e parecia não haver saída para o impasse. Em tais situações, quando bastante sérias, costumam ocorrer sonhos arquetípicos que revelam alguma possibilidade de progresso no qual não se teria pensado. É esta espécie de situações que constela o arquétipo com grande regularidade. Em determinados casos, o psicoterapeuta, portanto, vê-se obrigado a descobrir o problema racionalmente insolúvel à luz do qual o inconsciente do paciente dirige o seu curso. Uma vez descoberto este problema, as camadas mais profundas do inconsciente, as imagens primordiais, são ativadas e o processo de transformação da personalidade entra em andamento.

848   No segundo caso havia, de um lado, o medo semi-inconsciente e, do outro, a ameaça de um desenlace fatal, sem nenhuma possibilidade de conhecimento adequado da situação. No experimento de Rhine, afinal, é a impossibilidade da tarefa que atrai a atenção para os processos que se passam no interior do sujeito e, deste modo, proporcionam ao inconsciente uma possibilidade de se manifestar. As perguntas formuladas no experimento da ESP produzem um efeito emocional já desde o início, porque propõem algo incognoscível como potencialmente cognoscível e, deste modo, levam seriamente em conta a possibilidade de um milagre. Independentemente do ceticismo

eventual do SE, esta colocação apela para a predisposição sempre inconsciente e universal das pessoas de querer ver um milagre, e para a esperança de que tal coisa seja ainda possível. A superstição primitiva está presente também justamente sob a superfície dos indivíduos até mesmo mais esclarecidos, e são precisamente estes, que mais combatem contra ela, os primeiros a sucumbirem a seu poder de sugestão. Por isto, todas as vezes que um experimento sério, com o peso de sua autoridade científica, toca em algum ponto desta predisposição, ela provoca inevitavelmente uma emoção que o aceita ou rejeita, com forte tonalidade afetiva. Em qualquer caso, há uma expectativa que estará presente de uma forma ou de outra, mesmo quando negada.

Convém chamar a atenção para um possível mal-entendido que pode ser ocasionado pelo termo "sincronicidade". Escolhi este termo porque a aparição simultânea de dois acontecimentos, ligados pela significação, mas sem ligação causal, pareceu-me um critério decisivo. Emprego, pois, aqui, o conceito geral de sincronicidade, no sentido especial de coincidência, no tempo, de dois ou vários eventos, sem relação causal, mas com o mesmo conteúdo significativo, em contraste com "sincronismo" cujo significado é apenas o de ocorrência simultânea de dois fenômenos. 849

A sincronicidade, portanto, significa, em primeiro lugar, a simultaneidade de um estado psíquico com um ou vários acontecimentos que aparecem como paralelos significativos de um estado subjetivo momentâneo e, em certas circunstâncias, também vice-versa. Meus dois exemplos ilustram esta causa de modo diverso. No caso do escaravelho, a simultaneidade é imediatamente manifesta, mas no segundo, não. É verdade que o bando de pássaros provocou uma vaga inquietação, mas esta pode ser explicada causalmente. A mulher de meu paciente antes, certamente, não tinha consciência de qualquer temor que pudesse ser comparado com minha própria apreensão, porque os sintomas (dores no pescoço) não eram de molde a fazer um leigo pensar imediatamente em algum mal. Mas o inconsciente muitas vezes sabe mais do que a consciência, e por isto, parece-me possível que o inconsciente da mulher já pressentia o perigo. Naturalmente não podemos provar, mas existe sempre a possibilidade e mesmo a probabilidade de isto acontecer. Se, portanto, excluímos o conteúdo psíquico consciente, como o da ideia de um perigo mortal, 850 há, neste caso, uma simultaneidade evidente do bando de pássaros, em sua significação tradicional, com a morte do marido. Se abstrairmos da excitação, possível mas ainda não demonstrável, do inconsciente, parece que o estado psíquico depende do acontecimento exterior. A psique da mulher, contudo, estava envolvida na medida em que os pássaros pousaram sobre sua casa e foram observados por ela. O bando de pássaros tem, em si, uma significação mântica[36]. Esta significação aparece também na interpretação da mulher e, por isto, parece que os pássaros representavam uma premonição inconsciente da morte. Os médicos do Romantismo antigo falariam, aqui, de "simpatia" ou de "magnetismo", mas, como tive ocasião de dizer, tais fenômenos não podem ser explicados causalmente, a não ser que alguém acredite que lhe sejam permitidas as mais fantásticas hipóteses *ad hoc*.

851 A interpretação do bando de pássaros como *omen* (presságio) baseia-se, como já vimos, em duas coincidências anteriores de natureza semelhante. Ela ainda não existia por ocasião da morte da avó, quando a coincidência só estava representada pela morte e pela reunião dos pássaros. Ela era então imediatamente manifesta; no terceiro caso, porém, ela só pôde ser verificada, como tal, quando o moribundo foi levado para casa.

852 Menciono estas complicações, porque elas são importantes para a extensão do conceito de sincronicidade. Tomemos um outro exemplo: Um de meus conhecidos viu e presenciou em sonho a morte súbita e violenta de um de seus amigos, com todos os detalhes específicos. O sonhador estava na Europa e o seu amigo na América. Na manhã seguinte um telegrama atesta a morte e dez dias mais tarde uma carta confirma os detalhes. A comparação entre o tempo europeu e o americano mostra que a morte se deu pelo menos uma hora antes do sonho. O sonhador recolhera-se tarde e não dormira até uma hora da madrugada. O sonho se dera por volta das duas. A experiência do sonho *não fora síncrona* com a morte. Experiências deste gênero frequentemente ocorrem ou antes ou depois do acontecimento crítico.

---

36. Um exemplo literário são os *grous* de Íbico [cf. literatura grega]. Do mesmo modo, quando um bando de pegas pousa nas proximidades de um casal é sinal de morte etc. Recorde-se também o significado dos augúrios.

J.W. Dunne[37] menciona um sonho particularmente instrutivo, que ele teve na primavera de 1902, quando participava da Guerra dos Boers. Parecia-lhe que estava numa montanha vulcânica. Era uma ilha com que ele sonhara antes e ele sabia estar ameaçada por uma erupção vulcânica catastrófica iminente (como a de Cracatoa). Apavorado, ele queria salvar os quatro mil habitantes da ilha. Procurou fazer com que as autoridades francesas da ilha vizinha mobilizassem imediatamente todas as embarcações disponíveis para a operação de salvamento. Aqui o sonho começa a desenvolver os motivos do pesadelo típico: a pressa, a caçada e o não conseguir alcançar o lugar desejado, ao mesmo tempo em que, na mente do sonhador, ecoam repetidamente as palavras: "Quatro mil pessoas serão mortas, se não..." Alguns dias depois Dunne recebe sua correspondência com um exemplar do *Daily Telegraph*, e seu olhar recaiu sobre a notícia seguinte:

Volcano Disaster
in
Martinique
Town Swept Away
An Avalanche of Flame
Probable Loss of Over
40.000 Lives.

O sonho não se deu no momento da verdadeira catástrofe, mas quando o jornal já vinha a caminho com a notícia. Ao ler, ele trocou erradamente o número 40.000 por 4.000. O engano se fixara como paramnésia no sonhador, de sorte que, todas as vezes que ele contava o sonho, invariavelmente dizia 4.000 em lugar de 40.000. Somente quinze anos depois, quando copiava o artigo, descobriu o erro. Seu conhecimento inconsciente cometia, por assim dizer, o mesmo erro que ele cometera ao ler a notícia.

853

O fato de ele ter sonhado com o caso pouco antes de a notícia chegar, representa uma experiência que ocorre com bastante frequência, pois os sonhos mencionam, por exemplo, pessoas de quem o próximo correio traz uma carta. Pude verificar em várias ocasiões que, no momento em que o sonho ocorria, a carta já estava na agên-

854

---

37. DUNNE, J.W. *An Experiment with Time*. Londres: A. & C. Black, 1927, p. 34s.

cia do correio da localidade do destinatário. Também posso confirmar os lapsos de leitura, com minha própria experiência. Durante a semana de Natal de 1918 eu me ocupava no estudo do Orfismo e em particular com o fragmento órfico de Malalas, no qual a luz primordial é designada "trinitariamente" como *Metis, Phanes* e *Ericepaeus*. Eu lia sempre Ἠρικαπαῖος [Hericapaios] em lugar de Ἠρικεπαῖος [Heriquepaios], como está no texto. Em si, há as duas versões. Este lapso de leitura fixou-se em mim como paramnésia, e mais tarde só me lembrava deste nome como Ἠρικαπαῖος, e trinta anos depois descobri que o texto de Malalas traz Ἠρικεπαῖος. Justamente por esta época, uma de minhas pacientes, que eu não via desde há quatro semanas, e que não sabia de meus estudos, teve um sonho no qual um desconhecido lhe entregou uma folha de papel em que estava escrito um hino "latino" dirigido a um deus chamado Ericipaeus. A sonhadora foi capaz de reproduzir esse hino por escrito logo que despertou. A linguagem era uma estranha mistura de latim, francês e italiano. A senhora em questão tinha conhecimentos elementares de latim, conhecia um pouco mais o italiano e falava fluentemente o francês. Ela desconhecia por completo o nome de Ericipaeus, o que não surpreende, uma vez que ela não tinha nenhum conhecimento dos clássicos. Nossas residências distavam cerca de noventa quilômetros uma da outra, e não havia comunicação entre nós fazia um mês. Estranho é que a variação do nome, isto é, o "lapso de leitura" se dera justamente na vogal que eu lera também errado, trocando o *a* pelo *e*; a única diferença é que seu inconsciente errou em outra direção, lendo *i* em lugar de *e*. Suponho, portanto, que ela "leu" inconscientemente, não o meu erro, mas o texto no qual ocorre a transliteração latina Ericepaeus, e parece que só foi perturbada pelo meu erro de leitura.

855 Os acontecimentos sincronísticos repousam na *simultaneidade de dois estados psíquicos* diferentes. Um é normal, provável (quer dizer: pode ser explicado causalmente) e o outro, isto é, a experiência crítica, não pode ser derivado causalmente do primeiro. No caso de morte repentina, a experiência crítica não pode ser reconhecida imediatamente como *extra-sensory perception* (ESP); só pode ser verificada como tal posteriormente. Mas, no caso do escaravelho, o que se experimenta diretamente é um estado psíquico ou uma imagem psíquica que se distingue da imagem onírica pelo fato de poder ser veri-

ficada imediatamente. No caso do bando de pássaros havia na mulher uma irritação ou um medo inconsciente, que era consciente em *mim* e me levara a encaminhar o doente imediatamente para um cardiologista. Tanto num caso como no outro – quer se trate de uma ESP espacial ou temporal – há simultaneidade do estado normal ou ordinário com um estado ou experiência que não pode ser derivada causalmente do primeiro, e cuja objetividade só pode ser verificada posteriormente. É preciso ter esta definição diante dos olhos, quando se trata de acontecimentos futuros, pois estes, evidentemente, não são *síncronos*, mas *sincronísticos*, porque são experimentados como imagens psíquicas *no presente*, como se o acontecimento objetivo já existisse. *Um conteúdo inesperado, que está ligado direta ou indiretamente a um acontecimento objetivo exterior, coincide com o estado psíquico ordinário*: é isto o que chamo de sincronicidade, e sou de opinião que se trata exatamente da mesma categoria de eventos, não importando que sua objetividade apareça separada da minha consciência no espaço ou no tempo. Este ponto de vista é confirmado pelos resultados de Rhine, uma vez que nem o espaço nem o tempo – pelo menos em princípio – influenciam a sincronicidade. O espaço e o tempo são as coordenadas conceituais do corpo em movimento; no fundo constituem uma só e mesma coisa, e por isso se fala de um "espaço de tempo", e já Filo Judeu dizia: "διάστημα τῆς τοῦ κόσμου κινήσεώς ἐστιν ὁ χρόνος"[38]. A sincronicidade no espaço pode ser igualmente concebida como uma percepção no tempo, mas, convém notar, não é fácil entender a sincronicidade no tempo como espacial, porque não podemos imaginar um espaço em que acontecimentos futuros já estejam objetivamente presentes e possam ser experimentados como tais, mediante a redução desta distância espacial. Mas como em determinadas circunstâncias o tempo e o espaço parecem reduzidos quase a zero, conforme nos mostra a experiência, também a causalidade desaparece com eles, porque a causalidade está ligada à existência do espaço e do tempo e às mudanças físicas do corpo, pois consiste essencialmente em uma sucessão de causas e de efeitos. Por este motivo, em princípio, os fenômenos de sincronicidade não po-

---

38. "O tempo é a extensão do movimento cósmico" (Filo de Alexandria, *De opificio mundi*, 26, I, p. 8).

dem ser associados a qualquer conceito de causalidade. A conexão entre fatores significativamente coincidentes deve ser necessariamente concebida como acausal.

856 Aqui, por falta de uma causa demonstrável, caímos na tentação de postular uma *causa transcendental*. Mas uma "causa" só pode ser uma entidade demonstrável. Uma causa "transcendental" é uma *contradictio in adiecto* (uma contradição nos termos), porque o que é transcendental por definição não pode ser demonstrado. Se não quisermos arriscar a hipótese da acausalidade, a única alternativa é explicar os fenômenos sincronísticos como acontecimentos meramente casuais, o que nos faz entrar em conflito com os resultados da ESP de Rhine e outros fatos bem atestados na bibliografia correspondente. Ou então somos forçados àquele mesmo tipo de reflexões que descrevi anteriormente, e devemos submeter os princípios de nossa explicação da natureza à crítica, no sentido de que o espaço e o tempo só são constantes em um dado sistema quando medidos independentemente dos estados psíquicos. Isto acontece geralmente nos experimentos científicos. Mas quando observamos um acontecimento sem as restrições experimentais, o observador pode facilmente ser influenciado por um estado emocional que altera o espaço e o tempo no sentido de uma contração. Todo estado emocional opera uma mudança na consciência, mudança que P. Janet chamou de *abaissement du niveau mental* (baixa do nível mental), isto é, há um certo estreitamento da consciência, acompanhado de um fortalecimento simultâneo do inconsciente, facilmente reconhecível por qualquer leigo, particularmente nos casos de efeitos muito fortes. O tônus do inconsciente como que se eleva, criando facilmente um declive em que o inconsciente pode fluir para a consciência. A consciência cai, então, sob a influência de impulsos e de conteúdos instintivos inconscientes. Geralmente estes últimos são complexos cuja base última é o arquétipo, isto é, o *instinctual pattern*. Além destes, o inconsciente contém igualmente *percepções subliminares* (bem como imagens esquecidas da memória que não podem ser reproduzidas no momento, ou mesmo nunca). Entre os conteúdos, devemos distinguir as percepções daquilo que eu chamaria um "conhecimento" ou "presença" inexplicável de imagens psíquicas. Enquanto as percepções podem ser relacionadas com estímulos sensoriais subliminares possíveis ou prová-

veis, o "conhecimento" e a "presença" de imagens inconscientes, ou não têm um fundamento reconhecível, ou se verifica que há conexões causais reconhecíveis com certos conteúdos já existentes (e muitas vezes arquetípicos). *Mas estas imagens, radicadas ou não em bases já existentes, acham-se em uma relação significativa, análoga ou equivalente, com acontecimentos objetivos que não têm com eles nenhuma relação causal reconhecível ou mesmo imaginável.* Como pode um acontecimento distante no espaço e mesmo no tempo produzir, por exemplo, uma imagem psíquica correspondente, se nem sequer podemos falar de um processo de transmissão de energia para isto necessária? Por mais incompreensível que isto pareça, nós nos vemos, afinal, forçados a admitir que há, no inconsciente, uma espécie de conhecimento ou "presença" *a priori* de acontecimentos, sem qualquer base causal. Em qualquer caso, nosso conceito de causalidade é incapaz de explicar os fatos.

Em vista desta situação complicada, vale à pena recapitular por um momento o argumento acima discutido, e a melhor maneira de fazê-lo é nos apoiar em nossos exemplos. Ao falar dos experimentos de Rhine, eu lancei a hipótese de que, por causa da tensão decorrente da atmosfera de expectativa, isto é, por causa do estado emocional da SE, uma imagem já existente, correta mas inconsciente, do resultado, torna a consciência capaz de apontar um número mais do que provável de acertos. O sonho do escaravelho é uma representação consciente que surge de uma imagem inconsciente já existente da situação que iria ocorrer no dia seguinte, isto é, da narrativa do sonho e do aparecimento do besouro-rosa. A mulher de meu paciente falecido tinha um conhecimento inconsciente da morte iminente do marido. O bando de pássaros evocava as imagens correspondentes da memória e, consequentemente, também o seu medo. Da mesma maneira, o sonho quase simultâneo da morte violenta do amigo proveio do conhecimento inconsciente já existente de sua ocorrência. 857

Em todos estes casos e em outros semelhantes parece que há um conhecimento *a priori*, inexplicável causalmente e incognoscível na época em apreço. O fenômeno de sincronicidade é constituído, portanto, de dois fatores: 1) *Uma imagem inconsciente alcança a consciência de maneira direta* (literalmente) *ou indireta* (simbolizada ou sugerida) *sob a forma de sonho, associação ou premonição;* 2) *Uma* 858 *situação objetiva coincide com este conteúdo.* Tanto uma coisa como a outra podem, por assim dizer, causar admiração. De que modo surgem a imagem inconsciente ou a coincidência? Entendo muito bem que as pessoas prefiram duvidar da realidade de tais coisas. Aqui só quero lançar a questão. Só mais adiante, no decorrer deste estudo, é que tentarei respondê-la.

859 No que se refere ao papel que os afetos desempenham no aparecimento de acontecimentos sincronísticos, eu gostaria de lembrar que isto não é absolutamente uma ideia nova, mas já era conhecida de Avicena e de Alberto Magno. A respeito da magia escreve Alberto Magno: "Descobri uma exposição muito instrutiva (sobre a magia) no livro sexto dos *Naturalia* de Avicena, exposição segundo a qual habita na alma humana certo poder (*virtus*) capaz de mudar a natureza das coisas e de subordinar a ela outras coisas, particularmente quando ela se acha arrebatada num grande excesso de amor ou de ódio (*quando ipsa fertur in magnum amoris excessum aut odii aut alicuius talium*). Portanto, quando a alma de uma pessoa cai num grande excesso de alguma paixão, pode-se provar experimentalmente que ele (o excesso) liga (magicamente) as coisas e as modifica no sentido em que ele quiser (*fertur in grandem excessum alicuius passionis invenitur experimento manifesto quod ipse ligat res et alterat ad idem quod desiderat et diu non credidi illud*) e eu não acreditei (!) nisto por muito tempo, mas depois que li livros sobre nigromancia, ou outros do mesmo gênero sobre os signos (*imaginum*) e a magia, descobri que a emocionalidade (*affectio*) da alma humana constitui (realmente) a causa principal de todas as coisas, seja porque, em virtude de sua grande emoção modifica seu corpo e outras coisas no sentido em que quiser, seja porque as outras coisas inferiores estão sujeitas a ela, por causa de sua dignidade, seja ainda porque a hora adequada ou a situação astrológica ou outra força correm paralelas com este afeto que ultrapassa todos os limites, e (em consequência) acreditamos que aquilo que esta força opera é produzido também pela alma (*cum tali affectione exterminata concurrat hora conveniens aut ordo coelestis aut alia virtus, quae quodvis faciet, illud reputavimus tunc animam facere*)... Quem quiser conhecer o segredo de como fazer e desfazer estas coisas, deve saber que qualquer pessoa pode influenciar magicamente qualquer coisa, quando cai em um grande excesso... e deve fa-

zer isto justamente na hora em que o excesso o acomete, e operar com aquelas coisas que a alma lhe prescreve. A alma se acha, com efeito, tão desejosa daquela coisa que ela gostaria de realizar, que escolhe espontaneamente a *hora astrológica* melhor e mais significativa *que rege também as coisas* que concordam melhor com o objeto de que se ocupa. Assim é a alma que deseja uma coisa mais intensamente, que torna as coisas mais eficientes e mais semelhantes àquilo que surge... Semelhante a este é o modo de produção em tudo o que a alma deseja intensamente. Isto é, tudo o que a alma faz, com este fim em vista, tem a força propulsora e a eficácia para aquilo que a alma deseja" etc.[39]

Este texto nos mostra claramente que se considerava o acontecimento sincronístico (mágico) como dependente do afeto. Naturalmente, Alberto Magno, em conformidade com o espírito da época, explica isto postulando uma faculdade mágica para a alma, sem levar em conta que o processo psíquico é tão "organizado" quanto a imagem coincidente que antecipa o processo físico exterior. A imagem coincidente provém do inconsciente e por isto pertence àquelas *cogitationes quae sunt a nobis independentes* e que, na opinião de Arnold Geulincx, foram inspiradas por Deus e não brotam de nosso próprio pensamento[40]. A concepção de Goethe a respeito dos acontecimentos sincronísticos é também "mágica". Eis o que ele diz nas conversações com Eckermann: "Todos nós temos certas forças elétricas e magnéticas dentro de nós e exercemos um poder de atração e repulsão, dependendo do contacto que tivermos com algo afim ou dessemelhante"[41].

860

Depois destas considerações gerais voltemos ao problema da base empírica da sincronicidade. A dificuldade principal aqui é obter material empírico do qual possamos extrair conclusões bastante seguras, e infelizmente não é fácil resolver esta dificuldade. Não dispomos diretamente das experiências em questão. Por isto, é preciso nos aventurarmos nos ângulos mais recônditos e termos a coragem de sa-

861

---

39. *De mirabilibus mundi*. Incunábulo da Biblioteca Central de Zurique, sem data. (Existe uma edição feita em Colônia no ano de 1485).
40. *Metaphysica vera*, pars III, secunda scientia, p. 187s.
41. Cf. p. 359s.

cudir os preconceitos de nossa época, se queremos ampliar as bases do conhecimento da natureza. Quando Galileu descobriu as luas de Júpiter, com a ajuda de seu telescópio, entrou imediatamente em choque também com os preconceitos de seus contemporâneos eruditos. Ninguém sabia o que era um telescópio nem o que ele poderia fazer. Ninguém jamais ouvira falar em luas de Júpiter. Naturalmente cada época pensa – e hoje pensamos assim mais do que nunca – que todas as épocas anteriores eram preconceituosas, e estamos, portanto, tão errados quanto todas as épocas anteriores que pensavam desta maneira. Quantas vezes não vimos a verdade condenada! É triste, mas, infelizmente, é verdade que os homens não aprenderam a lição da História. Este fato nos trará as maiores dificuldades, pois, ao nos prepararmos para recolher o material empírico que lançará um pouco de luz sobre um assunto tão obscuro, estamos certos de encontrá-lo justamente onde todas as autoridades nos garantiram que nada poderia ser encontrado.

862   A narrativa de fatos notáveis isolados – por mais bem atestados que estas possam ser – não tem utilidade nenhuma, e o resultado a que se chega é, no máximo, considerar o narrador como uma pessoa crédula. E mesmo a impressão causada por um registro minucioso e uma verificação cuidadosa de um grande número destes casos, como os que se encontram na obra de Gurney, Myers And Podmore[42] é quase nula. A imensa maioria dos "especialistas", isto é, dos psicólogos e psiquiatras, parece ignorar completamente estas pesquisas[43].

863   Os resultados dos experimentos ESP (*extra-sensory perception*) e PK (*psycho-kinesis*) proporcionaram uma base estatística para avaliar o fenômeno da sincronicidade e, ao mesmo tempo, apontam para o papel importante que o fator psíquico aí desempenha. Este fato me sugeriu a questão se não se poderia descobrir um método capaz, de um lado, de demonstrar a existência do fenômeno da sincronicidade

---

42. *Phantasms of the Living*. Op. cit.
43. Recentemente Pascual Jordan realizou um trabalho de grande valor científico sobre a clarividência espacial (*Zentralblatt für Psychotherapie*, IX [1936], n. 3). Eu gostaria de chamar a atenção para sua obra *Verdrängung und Komplementarität* (Repressão e Complementaridade), importante para o conhecimento das relações entre a microfísica e a psicologia do inconsciente.

e, do outro, nos revelasse os conteúdos psíquicos, de tal modo que nos proporcionasse pelo menos alguns pontos de referência quanto à natureza do fator psíquico em apreço. Eu me pergunto se não existiria um método capaz de nos oferecer resultados mensuráveis ou numeráveis e que ao mesmo tempo nos permitisse lançar um olhar sobre os desvãos psíquicos da sincronicidade. Ao tratarmos dos experimentos da ESP, vimos que há certo número de condições exigidas para o fenômeno de sincronicidade, embora tais experimentos por sua natureza se limitem ao fato da coincidência e acentuem apenas seu caráter psíquico, sem iluminar mais de perto esse fato. Sei, desde há muito tempo, que existem certos métodos intuitivos (ditos também mânticos) que partem, sobretudo, do fator psíquico, mas consideram também a realidade da sincronicidade como um fato evidente por si mesmo. Por isso, volto minha atenção de modo particular para a técnica intuitiva de apreender a situação global, tão característica da China, ou seja, o I Ging (ou I Ching) [Livro das Transformações]. Ao inverso do espírito ocidental imbuído de filosofia grega, o espírito chinês não procura apreender os detalhes, mas uma percepção em que o detalhe seja visto como parte do todo. Por razões óbvias, uma operação cognitiva desta espécie é impossível para o puro intelecto, por isto o julgamento deve apoiar-se muito mais nas funções irracionais da consciência, ou seja, na sensação (*sens du réel*, sentido do real) e na intuição (percepção sobretudo por intermédio de conteúdos subliminares). O I Ging, este fundamento – poderíamos dizer experimental – da filosofia chinesa clássica, é um método usado desde tempos imemoriais para apreender uma situação de globalidade e assim colocar o problema dos detalhes no grande quadro das inter-relações do Yang e do Yin.

Esta apreensão da totalidade constitui evidentemente a meta também da ciência, mas é uma meta ainda remota, porque a ciência procede experimentalmente, sempre que isto é possível, e estatisticamente em todas as ocasiões, mas a experimentação consiste em colocar questões bem definidas que excluem, o quanto possível, tudo o que perturba e nada tem a ver com o problema. Estabelece condições e as impõe à natureza, obrigando-a, deste modo, a dar uma resposta à questão levantada pelo homem. É impedida de dar respostas tiradas da intimidade de suas possibilidades porque estas possibilidades são

864

restringidas o máximo possível. Com este fim, cria-se em laboratório uma situação artificialmente limitada à questão, que obriga a natureza a dar uma resposta inequívoca. Nestas circunstâncias, a ação da natureza é inteiramente excluída em sua totalidade irrestrita. Mas se queremos conhecer em que consiste esta ação, precisamos de um método de investigação que imponha o mínimo de condições possíveis, ou, se possível, nenhuma condição, e assim deixe a natureza responder com sua plenitude.

865   O procedimento conhecido e estabelecido dos experimentos utilizado nos laboratórios constitui o fator estável de coleta e comparação estatística dos resultados. Nos experimentos intuitivos ou mânticos com a totalidade não há, porém, necessidade de qualquer pergunta que imponha condições e restrinja a totalidade do processo natural. Este último tem todas as chances possíveis de se expressar. No I Ging as moedas caem e rolam como lhes apraz[44]. Uma questão desconhecida do ponto de vista do observador é seguida de uma resposta incompreensível. Deste modo, as condições necessárias para uma reação global são positivamente ideais. Mas a desvantagem salta aos olhos: em contraste com a experimentação científica, não se sabe o que acontece. Para eliminar este inconveniente, dois sábios chineses do século XII de nossa era, baseando-se na hipótese da unidade de toda a natureza, procuraram explicar a simultaneidade de um estado psíquico com um processo físico como uma *equivalência de sentido*. Em outras palavras, eles supõem que o mesmo ser se exprime tanto no estado psíquico como no estado físico. Mas, para verificar tal hipótese, precisaria-se de uma determinada condição neste experimento aparentemente sem limites, a saber, uma forma definida de processo físico, um método ou uma técnica que obrigue a natureza a responder com números pares e ímpares. Estes números, como representantes do Yang e do Yin, estão presentes tanto no inconsciente como natureza sob a forma de opostos, como mãe e pai de qualquer acontecimento, e, por isto, tornam-se o *tertium comparationis* (o terceiro termo de comparação) entre o mundo interior psíquico e o mundo exterior físico. Assim, os dois sábios inventaram um método mediante o

---

44. Quando o experimento é executado com as tradicionais varinhas de milefólio, a divisão das 49 varinhas representa o fator acaso.

qual fosse possível representar um estado interior como sendo exterior, e vice-versa. Isto pressupõe, naturalmente, um conhecimento (intuitivo) do significado de cada figura do oráculo. O I Ging, portanto, é constituído de uma coleção de sessenta e quatro interpretações, nas quais foi expresso o sentido de cada uma das sessenta e quatro combinações possíveis entre o Yang e o Yin. Estas interpretações formulam o conhecimento que corresponde ao estado da consciência num determinado momento, e esta situação psíquica coincide com o resultado casual do método, ou seja, com os números pares e ímpares que resultam da queda das moedas ou da divisão fortuita das varinhas de milefólio[45].

O método se baseia, como todas as técnicas divinatórias ou intuitivas, no princípio da *conexão sincronística* ou acausal[46]. Na prática, como admitirá qualquer pessoa sem preconceito, ocorrem muitos casos evidentes de sincronicidade que se poderiam considerar racionalmente ou um tanto arbitrariamente como simples projeções. Mas, supondo que eles sejam realmente aquilo que parecem ser, então seriam coincidências significativas para as quais – enquanto sabemos – não há explicação causal. O método consiste em dividir aleatoriamente um molho de quarenta e nove varinhas de milefólio em duas pilhas, das quais se retiram quatro ou cinco varinhas, seis vezes seguidas; ou em lançar, também seis vezes seguidas, três moedas cuja disposição resultará a forma do hexagrama segundo os valores convencionados para o verso e reverso das moedas: cara = três; coroa = dois[47]. O experimento se baseia num princípio triádico (dois trigramas) e é constituído de sessenta e quatro mutações, cada uma das quais corresponde a uma situação psíquica. Estas situações são discu-

866

---

45. Cf. tb. mais adiante [§ 976].
46. Usei esse termo pela primeira vez em meu discurso pronunciado em memória de Richard Wilhelm (10 de maio de 1930, em Munique). O discurso foi publicado na segunda e na terceira edição de *Das Geheimnis der Goldenen Blüte* [O segredo da Flor de Ouro] (que Wilhelm e eu publicamos em colaboração, no ano de 1929), onde afirma (p. XI): "A ciência do I Ging se baseia não no princípio de causalidade, mas sobre um princípio, até agora não nomeado – porque não surgiu entre nós – que, a título de ensaio, designei como *princípio sincronístico*" [OC, 13].
47. Remeto a WILHELM, R. *I Ging, das Buch der Wandlungen*.

tidas longamente no texto e nos comentários a cada hexagrama. Existe também um método ocidental, originário da antiguidade clássica[48] e que, de modo geral, baseia-se no mesmo princípio do I Ging. A única diferença é que, no Ocidente, este princípio não é triádico, mas significativamente *tetrádico*, e o resultado não é um hexagrama constituído de linhas representativas do Yang e do Yin, mas dezesseis quatérnios compostos de números pares e ímpares. Doze deles são dispostos em um esquema de casas astrológicas. O experimento se baseia em 4x4 linhas constituídas de um número casual de pontos, que o interrogador marca na areia ou num papel, da direita para a esquerda[49]. Na modalidade verdadeiramente ocidental, a combinação dos diversos fatores entra em muito mais detalhes do que o I Ging. Também aqui há um número considerável de coincidências significativas, mas estas, em geral, são difíceis de entender e, por isto, são menos evidentes do que os resultados do I Ging. No método ocidental, que era conhecido desde o século XIII como *ars geomantica* ou a *geomancia*[50], e gozou de grande voga, não há comentários em sentido lato, porque seu uso era somente mântico e nunca filosófico, como no caso do I Ging.

867 Embora os resultados dos dois processos, tanto o do I Ging como o da *ars geomantica*, apontem na direção desejada, eles não oferecem nenhuma base para uma avaliação exata. Por isto, me voltei para outra técnica intuitiva e me deparei com a *Astrologia* que, pelo menos em sua forma moderna, tem a pretensão de oferecer uma visão mais ou menos global do caráter do indivíduo. Neste processo não faltam comentários; antes, há uma profusão desconcertante deles – sinal claro de que a interpretação não é simples nem fácil. A coincidência significativa que procuramos é óbvia, porque desde os tempos mais remotos os vários planetas, casas astrológicas, os signos zodiacais e os aspectos têm significados estabelecidos que servem de base para a in-

---

48. Já mencionado no *Liber etymologiarum* de Isidoro de Sevilha, lib. VIII, cap. IX, 13.
49. Podem-se usar também grãos ou caroços de qualquer espécie ou série de dados.
50. A melhor apresentação se acha em Robert Fludd (1574-1637), *De arte geomantica*. Cf. tb. THORNDIKE, L. *A History of Magic and Experimental Science*: During the First Thirteen Centuries of our Era. Vol. II. Nova York: Macmillan, 1929/1941, p. 110.

terpretação de uma determinada situação. É sempre possível objetar que o resultado não concorda com o conhecimento psicológico que temos da situação ou do caráter em questão, e é difícil refutar a afirmação segundo a qual o conhecimento de um indivíduo é um ponto sumamente subjetivo porque no domínio da caracterologia não há sinais certos e infalíveis que possam ser medidos ou calculados – objeção esta que, como se sabe, aplica-se também à Grafologia, embora, na prática, esta já goze de amplo reconhecimento.

Esta crítica, juntamente com a ausência de critérios seguros para determinar os traços de caráter, mostra-nos que a coincidência significativa entre a estrutura horoscópica e o caráter, postulada pela Astrologia, não pode ser aplicada à finalidade aqui em discussão. Por isto, se queremos que a Astrologia nos diga alguma coisa sobre a conexão acausal, devemos substituir este diagnóstico incerto do caráter por um fato absolutamente certo e indubitável. Um destes fatos é, por exemplo, a união matrimonial de duas pessoas[51]. 868

Desde a antiguidade, a correspondência mitológica, astrológica e alquímica tradicional neste sentido é a *coniunctio Solis* (☉) *et Lunae* (☾), a relação amorosa entre Marte (♂) e Vênus (♀), assim como as relações destes astros com o ascendente e o descendente. Esta relação deve ter sido introduzida na tradição, porque o eixo do ascendente foi considerado, desde tempos imemoriais, como tendo uma influência particularmente importante no caráter da personalidade[52]. Por isto, seria preciso investigar se há um número maior dos aspectos coincidentes ☉ – ☾ ou ♂ – ♀ nos horóscopos das pessoas casadas do 869

---

51. Outros fatos evidentes seriam o assassinato e o suicídio. Encontram-se estatísticas em H.V. Kloeckler (*Astrologie als Erfahrungswissenschaft*. Lípsia: Reinicke V, 1927, p. 232s. e 260). Infelizmente essas estatísticas não oferecem termo de comparação com os valores médios normais e, por isto, não podem ser aplicadas ao nosso objeto. Por outro lado, Paul Flambart (*Preuves et bases de l'astrologie scientifique*. Paris: [s.e.], 1921, p. 79s.), dá-nos um quadro estatístico sobre os ascendentes [astrológicos] de 123 pessoas altamente dotadas sob o ponto de vista intelectual. Ocorrem acumulações bem definidas nos ângulos do trígono aéreo (♓, ♎, ♒). Este resultado é confirmado por mais 300 casos.

52. Aqui um astrólogo mais ou menos experimentado dificilmente conteria o riso, porque, para ele, essas correspondências são absolutamente axiomáticas. Um exemplo clássico é a conexão de Goethe com Christiane Vulpius, ou seja, ☉ 5° ♍ ♂ ☾ 7° ♍.

que em relação àqueles dos não casados[53]. Para realizar tal pesquisa, não é necessário acreditar na Astrologia; bastam apenas as datas de nascimento, as efemérides e uma tábua de logaritmos para traçar o horóscopo da pessoa.

870   O método mais apropriado à natureza do acaso é o *numérico* ou estatístico, como nos mostram os três procedimentos mânticos acima mencionados. Desde épocas remotas, o homem serviu-se de números para determinar as coincidências significativas, isto é, as coincidências que podem ser interpretadas. O número é algo de especial – poderíamos mesmo dizer misterioso. Ele nunca foi inteiramente despojado de sua aura numinosa. Se, como diz qualquer manual de Matemática, um grupo de objetos for privado de todas as suas características, no final ainda restará o seu número, o que parece indicar que o número possui um caráter irredutível. (Não me ocupo aqui com a lógica dos argumentos matemáticos, mas com sua psicologia!). A série dos números inteiros é inesperadamente mais do que uma mera justaposição de unidades idênticas: ela contém toda a Matemática e o mais que ainda pode ser descoberto neste campo. O número, portanto, é uma grandeza imprevisível, e não é certamente por acaso que o cálculo é justamente o método mais apropriado para tratar do acaso. Embora eu não tenha a pretensão de dizer algo de esclarecedor sobre a relação íntima entre dois objetos tão aparentemente incomensuráveis entre si como a sincronicidade e o número, contudo, não posso

---

53. Esta concepção já se encontra em Ptolomeu: "Apponit [Ptolomaeus] autem tres gradus concordiae: Primus cum Sol in viro, et Sol, vel Luna in foemina, aut Luna in utrisque, fuerint in locis se respicientibus trigono, vel haxagono aspectu. Secundus cum in viro Luna, in uxore Sol, eodem modo disponuntur. Tertius, si cum hoc alterum recipiat" ([Ptolomeu] postula três graus de harmonia. O primeiro é quando o Sol, no homem, e o Sol ou a Lua na mulher, ou a Lua em ambos, estão nos seus respectivos lugares em aspecto trígono ou sextil. O segundo grau é quando a Lua, em um homem e o Sol, em uma mulher, são constelados da mesma maneira. O terceiro grau é quando um acolhe o outro). Na mesma página Cardano cita o próprio Ptolomeu: "Omnino vero constantes et diurni convictus permanent, quando in utriusque coniugis genitura luminaria contigerit configurata esse concorditer" (Em termos gerais, sua vida em comum será longa e constante, quando nos horóscopos dos dois cônjuges os luminares geradores [Sol e Lua] são harmoniosamente constelados). Ptolomeu considera a conjunção de uma Lua masculina com um Sol feminino como particularmente favorável ao casamento. CARDANO, J. Commentaria in Ptolomaeum De astrorum iudiciis. In: *Opera omnia* V. Lion: [s.e.], 1663, lib. IV, p. 332.

deixar de acentuar que eles não somente foram sempre relacionados entre si, mas que ambos têm igualmente a numinosidade e o mistério como características comuns. O número sempre foi usado para caracterizar qualquer objeto numinoso, e todos os números de um até nove são "sagrados", da mesma forma como 10, 12, 13, 14, 28, 32 e 40 gozam de uma significação especial. A qualidade mais elementar de um objeto é ser uno ou múltiplo. O número nos ajuda, antes e acima de tudo, a pôr ordem no caos das aparências. É o instrumento indicado para criar a ordem ou para apreender uma certa regularidade já presente, mas ainda desconhecida, isto é, certo ordenamento entre as coisas. É o elemento ordenador mais primitivo do espírito humano, sendo de observar que os números de um a quatro são os de maior frequência e os mais difundidos, pois os esquemas ordenadores primitivos são predominantemente as tríades e tétradas. A hipótese de que o número tem um fundo arquetípico não parte de mim, mas de certos matemáticos, como teremos ocasião de ver mais adiante. Por isto, não é absolutamente uma conclusão tão ousada definirmos o número como um *arquétipo* da ordem que se tornou consciente[54]. Fato notável é que as imagens psíquicas da totalidade, produzidas espontaneamente pelo inconsciente ou os símbolos do Si-mesmo expressos em forma mandálica, possuem estrutura matemática. Geralmente trata-se de quaternidades (ou seus múltiplos)[55]. Essas estruturas não exprimem somente a ordem, como a criam também. É por isto que elas geralmente aparecem em épocas de desorientação psíquica, para compensar um estado caótico ou para formular experiências numinosas. Mais uma vez devemos acentuar que estas estruturas não são invenções da consciência mas produtos espontâneos do inconsciente, como a experiência já mostrou de modo suficiente. Naturalmente, a consciência pode imitar estes esquemas ordenadores, mas tais imitações não provam que os originais sejam invenções conscientes. Daqui se deduz incontestavelmente que o inconsciente emprega o número como fator ordenador.

---

54. *Symbolik des Geistes*, p. 569 [OC, 11].
55. Cf. *Gestaltungen des Ünbewussten*, p. 95s. e 189s. [*Zur Empirie des Individuationsprozesses* e *Über Mandalasymbolik*, ambos em OC, 9/1].

871 No próximo capítulo trataremos do problema da prova astrológica da sincronicidade, e os números e cálculos nos fornecerão os elementos para chegar à solução.

B. Um experimento astrológico

872 Como já lembrei, para isto precisamos de dois fatos diferentes dos quais um representa a constelação astrológica e o outro o estado de casado. O matrimônio é uma situação bem caracterizada, embora seu aspecto astrológico apresente todos os tipos imagináveis de variações. Segundo o ponto de vista astrológico, é justamente no horóscopo onde este aspecto do matrimônio mais nitidamente se expressa, ao passo que a possibilidade de que a pessoa caracterizada pelo horóscopo se case com a outra, por assim dizer, por acaso, retrocede necessariamente para o segundo plano, e os fatores externos só parecem suscetíveis de avaliação astrológica na medida em que estiverem representados psicologicamente. Por causa do grande número de variações caracterológicas, dificilmente poderíamos esperar que um casamento fosse caracterizado por uma só configuração astrológica; pelo contrário, se os pressupostos astrológicos em geral são corretos, haverá diversas configurações que indicarão uma predisposição na escolha do parceiro matrimonial. Neste contexto, devo chamar a atenção do leitor para a bem conhecida correspondência entre os períodos das manchas solares e a taxa de mortalidade. Parece que o elo são as perturbações do campo magnético da terra que, por sua vez, se devem às flutuações da irradiação dos prótons solares. Estas flutuações influenciam as condições atmosféricas nas transmissões radiofônicas, perturbando a camada de Heaviside que reflete as ondas de rádio. A investigação destas perturbações parece indicar que as conjunções, as oposições e os aspectos quartis dos planetas desempenham um papel considerável, desviando a irradiação dos prótons e provocando tempestades eletromagnéticas. Os aspectos trígonos e sextis astrologicamente favoráveis, pelo contrário, determinam condições atmosféricas uniformes favoráveis à transmissão radiofônica[56].

---

56. Remeto o leitor à apresentação sumária, feita pelo Prof. Max Knoll (Princeton) em sua conferência ao círculo do Eranos [Wandlungen der Wissenschaft in unserer Zeit]. Cf. *Eranos-Jahrbuch*, XX (1951).

Estas observações nos abrem uma perspectiva inesperada quanto a uma possível base causal para a Astrologia. Em qualquer caso, isto vale sobretudo para a Astrologia meteorológica de Kepler. Mas é também possível que, para além dos efeitos fisiológicos, já constatados da irradiação dos prótons, ocorram efeitos psíquicos que despojem as afirmações astrológicas de sua natureza casual e nos permitam considerá-las sob o ponto de vista causal. Embora não se saiba exatamente em que repousa a validade de um horóscopo de nascimento, contudo, é possível imaginar uma conexão causal entre os aspectos planetários e as disposições psicofisiológicas. Por isto, seria aconselhável considerar os resultados da observação astrológica não como fenômenos sincronísticos, mas como efeitos de origem possivelmente causal, pois sempre que se possa imaginar uma causa por mais remota que seja, a sincronicidade se torna uma questão extremamente duvidosa.

873

No momento, porém, não temos base suficiente para acreditar que os resultados astrológicos são muito mais do que meras casualidades, ou que as estatísticas em que entram grandes números nos ofereçam um resultado estatisticamente significativo[57]. Como até agora faltam estudos amplos nesse terreno, resolvi tentar a sorte, empregando um grande número de horóscopos de casais, justamente para ver que números uma investigação desta natureza nos proporcionaria.

874

Primeiramente voltei minha atenção sobretudo para as conjunções (σ) e oposições ($\mathcal{S}$) do Sol e da Lua[58] porque estes dois aspectos são considerados astrologicamente quase da mesma força ou dignidade (embora em sentido contrário), isto é, expressam relações intensas entre os mencionados corpos celestes. A soma das conjunções e oposições entre ☉ ☾ ♂ ♀ e os ascendentes e descendentes dá um total de 50 aspectos diferentes. Estes aspectos foram estudados primeiramente em horóscopos de 180 casais (360 horóscopos individuais) e comparados com as respectivas relações nos horóscopos de

875

---

57. Cf., por exemplo, os resultados estatísticos em KRAFFT, K.E. *Traité d'astro-biologie*. Paris-Lausanne. Bruxelas: Edição do Autor, 1939, p. 23s., et passim.

58. Para não complicar desnecessariamente a apresentação, omiti os aspectos quatris e sextis, bem como as relações com o *Medium* [Zênite] e o *Imum Coeli* [Nadir], que naturalmente seria preciso também considerar. A questão principal não é saber o que os aspectos do casamento são, mas se o caráter do casamento pode ser percebido também.

32.220 pessoas não casadas, sendo que o número 32.220 resulta das combinações possíveis dos horóscopos dos casados, tomados como base (180 x [180 – 1] = 32.220). Em todos os cálculos tomou-se um orbe (isto é, uma zona de influência do aspecto) de oito graus, tanto no sentido dos ponteiros do relógio como inversamente, e não só no interior do signo, mas também para além de seus limites. No total, analisei 483 casamentos, ou seja, 966 horóscopos individuais. Como se pode ver pelas tabelas seguintes, tanto a análise como a apresentação dos resultados foram feitas, por assim dizer, "em forma de pacotes". Este método pode não parecer muito claro à primeira vista. Mas se o leitor se der conta de que aqui avançamos pela primeira vez em um terreno desconhecido, facilmente compreenderá que uma empresa tão arriscada como esta exige prudência e cuidado. Recomendava-se uma análise em pacotes porque este procedimento nos proporciona de imediato uma visão de conjunto do comportamento dos números. Uma comparação com outras estatísticas astrológicas nos permite concluir que 100 casos já representam uma base respeitável para uma estatística. Contudo, este número não é suficiente para uma pesquisa astrológica, e muito menos ainda para uma estatística em que se têm não menos de 50 aspectos. Num caso desta natureza, apesar do pequeno número de aspectos, seria de esperar uma quantidade notável de dispersões que poderiam facilmente induzir em erro de julgamento. Também não se sabia *a priori* quantos destes 50 aspectos seriam característicos do casamento – se o fossem! É evidente que uma quantidade inevitavelmente grande de aspectos representa uma dificuldade muito séria para a radioscopia estatística desta situação complicada, pois seria de esperar que um número tão grande de aspectos se tornasse improdutivo, como de fato se comprovou a seguir.

876   Devo o material que utilizei a diversas pessoas que se ocupam com a Astrologia em Zurique, Londres, Roma e Viena. Foram reunidos originariamente para fins meramente astrológicos, em parte havia já muitos anos antes. Assim, aqueles que recolheram o material desconheciam qualquer relação entre a sua coleção e a finalidade do presente estudo. Acentuo este fato, porque é possível que alguém objete que o material foi recolhido especialmente com este fim em vista, o que não corresponde à verdade. Os exemplos aqui apresentados foram colhidos originalmente de maneira totalmente casual, e por

isto nos proporcionam uma visão geral isenta de qualquer ideia preconcebida. Quando os horóscopos de 180 casais tinham chegado às minhas mãos, houve uma pausa acidental na sua coleta, que eu utilizei para elaborar os 360 horóscopos individuais. O primeiro pacote de 180 horóscopos de casais formou-se, assim, de maneira puramente casual, o mesmo acontecendo com o segundo e terceiro pacotes, de que falarei mais adiante.

Tabela I

Aspecto feminino masculino			Valores absolutos em 180 casamentos		Valores absolutos em 32.220 pares de não casados	Frequências médias em 180 pares de não casados
			Números	em %		
Lua	☌	Sol	18	10	1.506	8,4
Asc.	☌	Vênus	15	8,3	1.411	7,9
Lua	☌	Asc.	14	7,7	1.485	8,3
Lua	☍	Sol	13	7,2	1.438	8,0
Lua	☌	Lua	13	7,2	1.479	8,3
Vênus	☍	Lua	13	7,2	1.526	8,5
Marte	☌	Lua	13	7,2	1.548	8,6
Marte	☌	Marte	13	7,2	1.711	9,6
Marte	☌	Asc.	12	6,6	1.467	8,2
Sol	☌	Marte	12	6,6	1.485	8,3
Vênus	☌	Asc.	11	6,1	1.409	7,9
Sol	☌	Asc.	11	6,1	1.413	7,9
Marte	☌	Desc.	11	6,1	1.471	8,2
Desc.	☌	Vênus	11	6,1	1.470	8,2
Vênus	☌	Desc.	11	6,1	1.526	8,5
Lua	☍	Marte	10	5,5	1.540	8,6
Vênus	☍	Vênus	9	5,0	1.415	7,9
Vênus	☌	Marte	9	5,0	1.498	8,4
Vênus	☌	Sol	9	5,0	1.526	8,5
Lua	☌	Marte	9	5,0	1.539	8,6
Sol	☌	Desc.	9	5,0	1.556	8,7

Aspecto feminino		masculino	Valores absolutos em 180 casamentos		Valores absolutos em 32.220 pares de não casados	Frequências médias em 180 pares de não casados
			Números	em %		
Asc.	☌	Asc.	9	5,0	1.595	8,9
Desc.	☌	Sol	8	4,3	1.398	7,8
Vênus	☍	Sol	8	4,3	1.485	8,3
Sol	☌	Lua	8	4,3	1.508	8,4
Sol	☍	Vênus	8	4,3	1.502	8,4
Sol	☍	Marte	8	4,3	1.516	8,5
Marte	☍	Sol	8	4,3	1.516	8,5
Marte	☌	Vênus	8	4,3	1.520	8,5
Vênus	☍	Marte	8	4,3	1.531	8,6
Asc.	☌	Lua	8	4,3	1.541	8,6
Lua	☍	Lua	8	4,3	1.548	8,6
Desc.	☌	Lua	8	4,3	1.543	8,6
Asc.	☌	Marte	8	4,3	1.625	9,1
Lua	☌	Vênus	7	3,8	1.481	8,3
Marte	☍	Vênus	7	3,8	1.521	8,5
Lua	☌	Desc.	7	3,8	1.539	8,6
Marte	☍	Lua	7	3,8	1.540	8,6
Asc.	☌	Desc.	6	3,3	1.328	7,4
Desc.	☌	Marte	6	3,3	1.433	8,0
Vênus	☌	Lua	6	3,3	1.436	8,0
Asc.	☌	Sol	6	3,3	1.587	8,9
Marte	☌	Sol	6	3,3	1.575	8,8
Lua	☍	Vênus	6	3,3	1.576	8,8
Vênus	☌	Vênus	5	2,7	1.497	8,4
Sol	☍	Lua	5	2,7	1.530	8,6
Sol	☌	Vênus	4	2,2	1.490	8,3
Marte	☌	Marte	3	1,6	1.440	8,0
Sol	☌	Sol	2	1,1	1.480	8,3
Sol	☍	Sol	2	1,1	1.482	8,3

Média: 1.506 reduzidos a 180:8,4.

Contamos primeiramente todas as conjunções e oposições ocorrentes entre ☉ ☾ ♂ ♀, ascendentes e descendentes, tanto em 180 casais como nos 32.220 pares não casados. Os números resultantes representam *valores de frequência*, isto é, indicam a quantidade de casos por aspectos nos dois grupos. Como se trata de números originais – ao contrário dos valores médios considerados posteriormente – eu os chamo de *valores absolutos*. Eles estão dispostos na rubrica dos casos pela ordem de frequência. Assim, observamos, por exemplo, que a conjunção entre a Lua (feminina), e o Sol (masculino), figura em primeiro lugar.

Estes números não estão relacionados entre si e por isto não podem ser comparados diretamente. Para descobrir o seu significado, é preciso reduzi-los a um denominador comum, transpondo o número da coluna da direita para a esquerda, do seguinte modo:

Aspecto feminino masculino	Valores absolutos em horóscopos de casados	Frequência média em 180 horóscopos de não casados
Lua ☌ Sol	18 = 10,0%	1.506:180 = 8,40 = 4,6%
Asc. ☌ Vênus	15 = 8,3%	1.411:180 = 7,88 = 4,3%
Lua ☌ Asc.	14 = 7,7%	1.485:180 = 8,29 = 4,6%

Graças a esta operação aritmética é possível estabelecer uma comparação: fazendo a coluna da direita (não casados) = 1, teremos a seguinte proporção: 18:8,40 = 2,14:1. Na tabela seguinte (II) estas proporções estão dispostas por ordem de frequência.

Tabela II

Aspecto feminino masculino	Proporção da frequência dos aspectos em	
	casados	não casados
Lua ☌ Sol	2,14	1
Asc. ☌ Vênus	1,89	1
Lua ☌ Asc.	1,68	1
Lua ☍ Sol	1,61	1
Lua ☌ Lua	1,57	1
Vênus ☍ Lua	1,53	1

Aspecto feminino masculino			Proporção da frequência dos aspectos em casados	não casados
Marte	♂	Lua	1,50	1
Marte	♂	Asc.	1,46	1
Sol	♂	Marte	1,44	1
Vênus	♂	Asc.	1,39	1
Sol	♂	Asc.	1,39	1
Marte	♂	Marte	1,36	1
Marte	♂	Desc.	1,34	1
Desc.	♂	Vênus	1,34	1
Vênus	♂	Desc.	1,29	1
Lua	☍	Marte	1,16	1
Vênus	☍	Vênus	1,14	1
Vênus	♂	Marte	1,07	1
Vênus	♂	Sol	1,06	1
Lua	♂	Marte	1,05	1
Sol	♂	Desc.	1,04	1
Desc.	♂	Sol	1,02	1
Asc.	♂	Asc.	1,01	1
Vênus	☍	Sol	0,96	1
Sol	♂	Lua	0,95	1
Sol	☍	Vênus	0,95	1
Sol	☍	Marte	0,94	1
Marte	☍	Sol	0,94	1
Marte	♂	Vênus	0,94	1
Vênus	☍	Marte	0,94	1
Asc.	♂	Lua	0,93	1
Lua	☍	Lua	0,93	1
Desc.	♂	Lua	0,92	1
Asc.	♂	Marte	0,88	1
Lua	♂	Vênus	0,85	1
Marte	☍	Vênus	0,82	1
Lua	♂	Desc.	0,81	1
Asc.	♂	Desc.	0,81	1
Marte	☍	Lua	0,81	1
Desc.	♂	Marte	0,75	1

Vênus	☌	Lua	0,75	1
Asc.	☌	Sol	0,68	1
Marte	☌	Sol	0,68	1
Lua	☍	Vênus	0,68	1
Vênus	☌	Vênus	0,60	1
Sol	☍	Lua	0,59	1
Sol	☌	Vênus	0,48	1
Marte	☍	Marte	0,37	1
Sol	☌	Sol	0,24	1
Sol	☍	Sol	0,24	1

O que logo nos chama atenção nesta tabela é a *distribuição desigual* dos valores das frequências. Tanto os sete primeiros aspectos quanto os seis últimos apresentam uma dispersão bastante acentuada, ao passo que os valores do centro tendem a se concentrar em torno da razão 1:1. Terei ocasião de voltar a falar sobre esta peculiaridade, com a ajuda de uma tabela especial (Tabela III).

Um ponto interessante é a confirmação da correspondência astrológica e alquímica tradicional do casamento com os aspectos entre o Sol e a Lua:

Lua (fem.) ☌ Sol (masc.): 2,14:1

Lua (fem.) ☍ Sol (masc.): 1,61:1

ao passo que aqui os aspectos entre Vênus e Marte não se destacam.

Dos cinquenta aspectos astrológicos possíveis, o resultado nos mostra que para os casados há quinze configurações cuja frequência é nitidamente *superior* à relação 1:1. O valor mais alto se encontra na conjunção Lua-Sol, já mencionada; os dois números mais altos subsequentes – 1,89:1 e 1,68:1 – correspondem às conjunções entre o ascendente (fem.) e Vênus (masc.) ou entre a Lua (fem.) e o ascendente (masc.), o que parece confirmar a significação tradicional do ascendente.

Destes quinze aspectos, um aspecto da Lua ocorre quatro vezes entre as mulheres, ao passo que seis aspectos se acham distribuídos entre os outros trinta e cinco valores possíveis. O valor proporcional central de todos os aspectos da Lua é de 1,24:1. O valor médio dos quatro aspectos citados na tabela é 1,74:1, contra 1,24:1 de todos os aspectos da Lua. Parece, portanto, que a Lua é menos acentuada nos homens do que nas mulheres.

884 Nos homens, não é o Sol, mas o eixo ascendente-descendente que desempenha o papel correspondente. Em nossa tabela, esses aspectos ocorrem seis vezes para os homens e só duas vezes para as mulheres. No primeiro caso, eles têm um valor médio de 1,42:1 contra 1,22:1 de todos os aspectos masculinos entre o ascendente ou o descendente, de um lado, e um dos quatro corpos celestes, de outro.

Tabela III
Distribuição dos aspectos pela ordem de frequência

Frequência dos aspectos	em casais (180)	em não casados (frequência média)	Frequência dos aspectos	em casais (180)	em não casados (frequência média)
18,0	x		10,6		
17,8			10,4		
17,6			10,2		
17,4			10,0	x	
17,2			9,8		
17,0			9,6		x
16,8			9,4		
16,6			9,2		
16,4			9,1		x
16,2			9,0	xxxxxx	
16,0			8,9		xx
15,8			8,8		xx
15,6			8,7		x
15,4			8,6		xxxxxxxxxx
15,2	x		8,5		xxxxxxx
15,0			8,4		xxxxx
14,8			8,3		xxxxxxxx
14,6			8,2		xxx
14,4			8,0	xxxxxxxxxxxx	xxxx
14,2	x		7,9		xxxx

14,0		7,8	
13,8		7,6	
13,6		7,4	
13,4		7,2	
13,2	xxxxx	7,0	xxxx
13,0		6,8	
12,8		6,6	
12,6		6,4	
12,4		6,2	
12,2	xx	6,0	xxxxxx
12,0		5,8	
11,8		5,6	
11,6		5,4	
11,4		5,2	
11,2	xxxxx	5,0	xx
11,0		4,8	
10,8		4,6	
4,4		2,6	
4,2		2,4	
4,0	x	2,2	
3,8		2,0	xx
3,6		1,8	
3,4		1,6	
3,2		1,4	
3,0	x	1,2	
2,8		1,0	

A Tabela III é uma exposição gráfica dos valores contidos na Tabela I, sob o ponto de vista da distribuição dos aspectos pelos números individuais originais (isto é, dos valores absolutos das frequências). Os traços verticais indicam os aspectos possuidores de um mesmo valor de frequência. O lado esquerdo da tabela corresponde à primeira rubrica da Tabela I (frequência dos aspectos nos horóscopos de casais), ao passo que o lado direito apresenta os valores médios correspondentes das combinações dos pares não casados. Temos como exemplo o valor 9 de frequência com seis traços verticais:

885

Aspecto feminino masculino			Valor absoluto (ou número original) em 180 horóscopos de casais	
Vênus	☍	Vênus	9	⎫
Vênus	☌	Marte	9	⎪
Vênus	☌	Sol	9	⎬ xxxxxx
Lua	☌	Marte	9	⎪
Sol	☌	Desc.	9	⎪
Asc.	☌	Asc.	9	⎭

886   Esta disposição nos dá não somente uma visão de conjunto da *dispersão dos valores*, como nos permite uma rápida avaliação da *média provável* que se recomenda em cálculos estatísticos, quando se trata de grandes dispersões. Enquanto o valor médio das combinações dos não casados é sempre uma média aritmética (ou seja, a soma dos aspectos, dividida por 50), a média verdadeira indica o número de frequências que se obtém, subtraindo-se os traços verticais de cima e de baixo, até alcançar o número 25. O valor da frequência onde este número recai representa a média provável.

887   Nos pares casados, a média provável é de 7,8 casos, nas combinações é maior, ou 8,4 casos. Nos não casados, a média provável coincide com a média aritmética – ambas com 8,4 casos – ao passo que nos casados a média provável fica abaixo do valor médio correspondente, que é de 8,4 casos, o que se deve à presença de valores anormalmente inferiores nos pares casados. Uma olhada na rubrica dos pares casados nos mostra que há uma dispersão considerável de valores, em notável contraste com a concentração dos mesmos em torno da média 8,4 nos não casados. Nestes últimos não há um aspecto sequer que apresente uma frequência superior a 9,6, ao passo que, entre os casados, um aspecto alcança uma frequência quase duas vezes maior.

Tabela IV

180 casais			220 casais			400 casais		
Lua	☌ Sol	10,0%	Lua	☌ Lua	10,9%	Lua	☌ Lua	9,2%
Asc.	☌ Vênus	9,4%	Marte	☍Vênus	7,7%	Lua	☍ Sol	7,0%
Lua	☌ Asc.	7,7%	Vênus	☌ Lua	7,2%	Lua	☌ Sol	7,0%
Lua	☌ Lua	7,2%	Lua	☍ Sol	6,8%	Marte	☌ Marte	6,2%
Lua	☍ Sol	7,2%	Lua	☍Marte	6,8%	Desc.	☌ Vênus	6,2%
Marte	☌ Lua	7,2%	Desc.	☌ Marte	6,8%	Lua	☍ Marte	6,2%
Vênus	☍ Lua	7,2%	Desc.	☌ Vênus	6,3%	Marte	☌ Lua	6,0%
Marte	☌ Marte	6,6%	Lua	☍Vênus	6,3%	Marte	☍ Vênus	5,7%
Marte	☌ Asc.	6,6%	Vênus	☌ Vênus	6,3%	Lua	☌ Asc.	5,7%
Sol	☌ Marte	6,6%	Sol	☍Marte	5,9%	Vênus	☌ Desc.	5,7%
Vênus	☌ Desc.	6,1%	Vênus	☌ Desc.	5,4%	Vênus	☌ Lua	5,5%
Vênus	☌ Asc.	6,1%	Vênus	☌ Marte	5,4%	Desc.	☌ Marte	5,2%
Marte	☌ Desc.	6,1%	Sol	☌ Lua	5,4%	Asc.	☌ Vênus	5,2%
Sol	☌ Asc.	6,1%	Sol	☌ Sol	5,4%	Sol	☍ Marte	5,2%

Na suposição de que a dispersão observada na tabela precedente provavelmente se equilibraria com a análise de material mais abundante, reuni um número maior de horóscopos de casais num total de 400 (o que dá 800 horóscopos individuais), para fazer justiça aos postulados da Astrologia. Não tem sentido rejeitar uma doutrina quase tão antiga quanto A civilização humana, por mero preconceito e sem um exame acurado, mas, sobretudo porque não se é capaz de ver aí uma conexão causal ou conforme a determinadas leis. Na Tabela IV exponho os resultados principais do material adicional, comparado com os 180 casos discutidos anteriormente, limitando-me, porém, aos máximos, que ultrapassam claramente a média provável. Os números são dados em percentagens.

Os 180 casais da primeira coluna representam o resultado da primeira coleção, ao passo que os 220 da segunda coluna foram recolhidos mais de um ano depois. O primeiro pacote apresenta o resultado favorável às afirmações da Astrologia, ao passo que a segunda coluna não só difere da primeira quanto aos aspectos, mas também apresenta uma redução nítida dos valores de frequência. A única exceção é o primeiro número que representa a clássica ☾ ☌ ☾. Ela ocupa o lugar da também clássica ☾ ☌ ☉. Dos quatorze aspectos da primeira coluna, só quatro reaparecem na segunda; destas quatro, não menos de três são aspectos da Lua, o que corresponde às expectativas astrológicas. A falta de correspondência entre os aspectos da primeira e segunda coluna indica uma desigualdade muito grande de material, isto é, há uma dispersão muito ampla que pode ser desfavorável às expectativas astrológicas, se considerarmos o resultado obtido com números maiores ainda. Podemos observar isto já no total dos números dos 400 casais: em consequência do equilíbrio da dispersão, esses números mostram um decréscimo muito claro. Na Tabela seguinte estas relações aparecem mais claramente ainda.

Tabela V

Frequência em %	☾ ☌ ☉	☾ ☌ ☾	☾ ☍ ☉	Média
180 casais	10,0	7,2	7,2	8,1
220 casais	4,5	10,9	6,8	7,4
180+220=400 casais	7,0	9,2	7,0	7,7
83 casais acrescentados posteriormente	7,2	4,8	4,8	5,6
83+400=483 casais	7,2	8,4	6,6	7,4

890   Esta tabela nos mostra os números de frequências das três constelações que mais ocorrem: duas conjunções lunares e uma oposição lunar. A frequência média mais alta dos 180 casais originais é de 8,1%. Nos 220 casais reunidos e analisados posteriormente, a máxima média baixa para 7,4%. Nos 83 casais acrescentados numa terceira fase, a média foi de 5,6%. Nos grupos iniciais (180 e 220), as máximas ainda recaíam nos mesmos aspectos, enquanto nos 83 casais acrescentados posteriormente verifica-se que as máximas se localizam em aspectos diferentes, a saber: Asc. ☌ ☾, ☉ ☌ ♀, ☉ ☌ ♂ e asc. ☌ asc. A máxima média destes quatro aspectos é de 8,7%. Este valor muito alto ultrapassa até mesmo a média "ótima" de 8,1% nos 180 primeiros casais; isto nos mostra claramente que os resultados iniciais "favoráveis" são casuais. Contudo, convém acentuar que a máxima de 9,6% se localiza como que divertidamente em asc. ☌ ☾, portanto, de novo, num aspecto lunar

que é considerado particularmente característico do casamento um *lusus naturae* (brincadeira da natureza), sem dúvida, mas incompreensível, no qual, de acordo com a antiga tradição, o ascendente ou horóscopo forma juntamente como o Sol e a Lua uma tríade que determina o destino ou o caráter dos indivíduos. Se alguém quisesse falsificar estas conclusões estatísticas, para harmonizá-las com a tradição, não teria encontrado maneira melhor de proceder.

Tabela VI

Frequência máxima em % em:

1) 300 pares combinados casualmente	7,3
2) 325 pares escolhidos por sorte	6,5
3) 400 pares escolhidos por sorte	6,2
4) 32.220 pares	5,3

Esta tabela indica as frequências máximas para os pares não casados. A primeira rubrica foi obtida por minha colaboradora, Dra. L. Frey-Rohn, colocando os horóscopos masculinos de um lado e os femininos de outro, e depois combinando aleatoriamente os pares contidos nas folhas de cima das pilhas, e assim sucessivamente. Tomou-se o cuidado de não combinar casualmente casais verdadeiros. A frequência resultante 7,3 ainda é bastante alta em comparação com o número máximo, muito mais provável, relativo aos 32.200 pares não casados, que é só de 5,3. O primeiro resultado me pareceu um tanto suspeito[59]. Por isto, sugeri à minha colaboradora que não combinássemos os mesmos pares, mas procedêssemos do seguinte modo: numeraram-se 325

891

---

59. O seguinte caso nos mostra quão sutis são estas coisas: Há pouco tempo, minha assistente foi incumbida de marcar os lugares de convidados à mesa para um jantar íntimo. Ela o fez com cuidado e discrição. Mas no último momento apareceu inesperadamente um hóspede muito estimado para o qual se devia arranjar um lugar adequado. Isto transtornou inteiramente a ordem anterior e foi preciso inventar às pressas uma nova disposição. Não havia tempo para pensar. Quando nos sentamos à mesa, configurou-se o seguinte quadro astrológico nas imediações do hóspede:

horóscopos masculinos; os números, porém, por sua vez foram copiados individualmente em fichas especiais, que depois eram lançadas misturadas aleatoriamente num jarro de barro. A seguir, convidava-se uma pessoa que não sabia nada a respeito de Astrologia e Psicologia, e muito menos ainda a respeito desta investigação, para retirar do jarro uma ficha em seguida à outra, sem olhar para elas. Cada número extraído era combinado com o horóscopo feminino da pilha correspondente, pondo-se, de novo, cuidado em não juntar casualmente verdadeiros casais. Deste modo obtivemos 325 pares artificiais. O resultado de 6,5 já está mais próximo da probabilidade. Mais provável ainda é o resultado obtido com os 400 pares não casados. Mesmo assim, este número (6,2) ainda é muito alto.

892 O comportamento um tanto estranho de nossos números nos levaram a um experimento cujo resultado mencionarei aqui, com as devidas reservas, porque ele me parece capaz de lançar alguma luz sobre as variações estatísticas. Este experimento foi realizado com três pessoas cujo estado psicológico era perfeitamente conhecido. Tal experimento consistiu em tomar aleatoriamente 200 horóscopos de casais numerados de 1 a 200. Em seguida, o sujeito do experimento sorteou 20 destes horóscopos, que foram analisados estatisticamente com vistas às características de 50 dos nossos casais. O primeiro sujeito da experimentação era uma paciente que na época do nosso estudo se achava num intenso estado de excitação emocional. Verificou-se que foram acentuados não menos de dez dos aspectos de Marte, com frequência de 15,0; nove aspectos da Lua com frequência de 10,0 e nove aspectos do Sol, com frequência de 14,0. A significação clássica de Marte con-

Dama	Dama	Hóspede	Dama
☾ em ♌	☉ em ♓	☉ em ♉	☉ em ♓
Dama	Dama	Cavaleiro	Dama
☉ em ♌	☾ em ♓	☾ em ♉	☾ em ♓

Surgiram quatro casamentos ☉ – ☾. Convém, no entanto, observar que minha colaboradora conhecia minuciosamente os aspectos astrológicos dos matrimônios, por longa prática adquirida. Também estava informada sobre os horóscopos particulares das pessoas presentes. Mas a rapidez com que teve de providenciar a ordem na mesa não lhe deixara tempo para refletir, de modo que o inconsciente ficou inteiramente de mãos livres para dispor secretamente os "casamentos".

siste em sua emocionalidade, no caso presente sustentada pelo Sol masculino. Comparativamente com nossos resultados gerais, observa-se aqui uma predominância dos aspectos de Marte, o que concorda com o estado psíquico do sujeito da experimentação.

O segundo sujeito da experimentação foi uma paciente cujo problema principal era a tomada de consciência e a afirmação da própria personalidade em face das tendências de autorrepressão. Neste caso, os chamados aspectos axiais (asc. e desc.), que são considerados características justamente da personalidade, aparecem doze vezes, com a frequência de 20,0 e os aspectos lunares com uma frequência de 18,00. Do ponto de vista astrológico, este resultado está em perfeita consonância com os problemas atuais do sujeito da experimentação.

O terceiro sujeito da experimentação foi uma mulher com opostos interiores fortemente acentuados, cuja união e conciliação constituía o seu problema principal. Os aspectos lunares ocorreram quatorze vezes, com uma frequência de 20,0; os aspectos solares doze vezes, com uma frequência de 15,00 e os aspectos axiais nove vezes, com uma frequência de 14,00. A clássica *coniunctio Solis et Lunae* como símbolo da união dos opostos é fortemente enfatizada.

Em todos estes casos, comprova-se que a escolha dos horóscopos de casais por sorteio foi influenciada por algum fator, e isto está de acordo com a nossa experiência com o I Ging e outros métodos mânticos. Embora todos os números se situem plenamente nos limites da probabilidade, e por isto só possam ser considerados como números casuais, contudo, sua variação, que corresponde surpreendentemente ao estado próprio do sujeito da experimentação, dá-nos o que pensar. O estado psíquico em questão foi caracterizado como uma situação em que a compreensão e a decisão se chocavam contra as barreiras intransponíveis de um inconsciente contrário e resistente. Esta relativa derrota das forças da consciência geralmente constela o arquétipo moderador que aparece no primeiro caso como Marte, o *Maleficus* emocional, no segundo como o sistema axial equilibrador que fortalece a personalidade, e no terceiro, como o *hierogamos* (casamento sagrado) dos opostos supremos. O acontecimento psíquico e físico (ou seja, os problemas e a escolha dos horóscopos por sorteio) corresponde, aparentemente, à natureza do arquétipo que está no fundo e poderia, portanto, representar um fenômeno de sincronicidade.

896   Segundo me comunicou o Prof. M. Fierz, de Basileia, que gentilmente se deu ao trabalho de calcular para mim a probabilidade de meu número máximo, tal número é de aproximadamente 1:10.000. Isto nos mostra que nossos melhores resultados, isto é, ☾ ☌ ☉ e ☾ ☌ ☾, praticamente improváveis, *mas teoricamente tão prováveis, que quase não há motivos para considerar os resultados de nossa estatística como ocorrências meramente muito casuais.* Nossa pesquisa nos mostra que, com o número máximo de pares casados, o valor de frequência não somente se aproxima da média, mas também que qualquer combinação aleatória produz proporções estatísticas semelhantes. Do ponto de vista científico, os resultados de nossa investigação não são, sob certos aspectos, muito animadores para a Astrologia, porque tudo parece indicar que, no caso de grandes números, as diferenças entre os valores de frequência dos aspectos dos pares casados e não casados desaparecem inteiramente. Assim sendo, do ponto de vista científico há pouca esperança de provar que a correspondência astrológica é algo que corresponde a determinadas leis.

897   Assim, o essencial que fica de nossa estatística astrológica é o fato de que o primeiro grupo de 180 horóscopos de pares casados apresenta um máximo bastante claro em ☾ ☌ ☉, e o segundo grupo de 220, reunido posteriormente, um máximo em ☾ ☌ ☾. Estes dois aspectos já são mencionados na literatura mais antiga como características do casamento, e, por isto, representam a tradição mais antiga. O terceiro grupo de 83 pares casados apresentam, como já dissemos, um máximo em ☾ ☌ asc., o que, como gentilmente me informou o Prof. M. Fierz, possui uma probabilidade de cerca de 1:3.000. Eu gostaria de ilustrar o que aconteceu aqui, recorrendo a um exemplo. Tomemos, por exemplo, três caixas de fósforos e coloquemos 10.000 formigas pretas na primeira, 10.000 na segunda e 3.000 na terceira, juntamente com uma formiga branca em cada uma das caixas. Fechemos as caixas e abramos um furo pequeno com diâmetro suficiente apenas para permitir a passagem de uma formiga de cada vez. A primeira formiga a sair de cada uma das três caixas é sempre a branca. Este fato casual é extremamente improvável. A probabilidade nos dois primeiros casos já é de 1:10.000². Isto quer dizer que só se pode esperar esta coincidência uma única vez em 100 milhões de casos. Por conseguinte, é impossível que aconteça jamais na experiên-

cia de alguém. Se acrescentarmos o resultado de ☾ ☌ asc. ao terceiro grupo, obteremos uma improbabilidade ainda mais alta, a saber, 1:300.000.000.000. Em minhas investigações estatísticas constatei, portanto, que são precisamente as três conjunções acentuadas pela tradição astronômica aquelas que menos probabilidade tiveram de se encontrarem juntas.

Se considerarmos agora os resultados do experimento de Rhine e sobretudo o fato de que os mesmos dependem grandemente do vivo interesse do sujeito da experimentação[60], podemos considerar o que aconteceu em nosso caso como sendo uma conexão sincronística: isto é, o material estatístico mostra que ocorreu uma *combinação casual*, não só praticamente *como teoricamente improvável, que coincide de modo notável com as expectativas astrológicas tradicionais*. É tão improvável e, por conseguinte, tão inacreditável que se dê tal coincidência, que ninguém ousa predizer algo de semelhante. Na realidade, tem-se a impressão de que o material estatístico foi manipulado e arranjado de tal maneira, que nos dá a aparência de um resultado positivo. Não faltavam as condições emocionais (ou arquetípicas) para um fenômeno sincronístico, porque é de todo evidente que tanto minha colaboradora quanto eu estávamos vivamente interessados no resultado desta pesquisa e a questão da sincronicidade absorvia minha atenção havia já muitos anos. O que parece realmente ter acontecido – e me parece que sempre foi assim, a julgar pela longa tradição astrológica – é que obtivemos um resultado casual que, presumivelmente, já fora obtido tantas outras vezes no decorrer da história. Se, com raras exceções, os astrólogos se tivessem dedicado mais à estatística e examinado cientificamente a legitimidade de sua interpretação astrológica, teriam descoberto desde há muito tempo que suas afirmações repousam em bases muito frágeis. Todavia, acredito que, tanto no seu caso como no meu, houve uma conivência (*conniventia*) secreta e recíproca entre o material e o estado psíquico do astrólogo. Existe simplesmente a correspondência como qualquer

898

---

60. Cf. SCHMIEDLER, G.R. "Personality Correlates of ESP as Shown by Rorschach Studies". *Journal of Parapsychology*, XIII, 1949, p. 23-31. Durham, Carolina do Norte, p. 23s. A autora mostra que aqueles que aceitam a possibilidade de ESP chegam a resultados além dos esperados, enquanto os que a rejeitam obtêm resultados negativos.

outro acontecimento casual agradável ou incômodo, e me parece que não se pode provar cientificamente que ele seja mais do que isto[61]. Alguém poderá ter enlouquecido por coincidência, mas é preciso ter a pele grossa para não ficar impressionado com o fato de que, dentre cinquenta probabilidades, aconteceu por duas ou três vezes justamente aquela que a tradição considera como característica.

899 Para me assegurar do caráter acidental (aliás reconhecidamente improvável) do nosso resultado, realizei mais uma experimentação estatística. Renunciei à ordem casualmente cronológica original e à divisão, igualmente casual, dos horóscopos em três pacotes, misturei os 150 primeiros casamentos com os últimos 150 (tomando estes últimos na ordem inversa); isto é, juntei o último casamento com o primeiro, o penúltimo com o segundo, e assim por diante. Em seguida dividi os 300 casamentos em três pacotes, de 100 casamentos cada um. Obtive o seguinte resultado:

1º pacote	2º pacote	3º pacote
Máximo: nenhum dos aspectos 11%	☉ ☌ ♂ 11% ☾ ☌ ☾ 11%	☾ ☌ asc. 12%

900 O resultado do primeiro pacote é divertido, na medida em que só 15 dos 300 casamentos não têm em comum qualquer dos cinquenta aspectos escolhidos e que os primeiros aspectos foram escolhidos em vista da provável existência de aspectos comuns. O segundo pacote produziu dois máximos, o primeiro dos quais representa, de novo, uma conjunção clássica. Por fim, o terceiro pacote produziu um máximo na ☾ ☌ asc., que já conhecemos, isto é, a terceira conjunção "clássica". O resultado total nos mostra que outro arranjo casual dos casamentos pode facilmente produzir um resultado que se afasta do total primitivo, mas ainda não impede que a conjunção clássica apareça. Este último resultado parece indicar que a probabilidade de

---

[61]. Como mostram minhas estatísticas, o resultado desaparece com números maiores. Assim, é sumamente improvável que, se houvesse maior quantidade de material, este já não produziria um resultado semelhante. Devemos, portanto, contentar-nos com este *lusus naturae* aparentemente único, embora isto não prejudique a realidade dos fatos.

cerca de 1:10.000 calculada para ☉ ☌ ☾ e ☾ ☌ ☾ representa uma quantidade bastante grande que poderia estar ligada a certa regularidade. Enquanto é possível constatá-lo, parece que se trata de uma regularidade fracamente expressa, que é muito pequena, para constituir-se em uma base causal provável da estranha coincidência das três conjunções lunares clássicas.

A pesquisa dos 50 aspectos dos casais escolhidos não produziu nenhum resultado inequívoco. Quanto à frequência ou regularidade das relações entre os aspectos esperados pela Astrologia convém observar que os seus números se situam ainda dentro dos limites da mera probabilidade, embora esta última, na prática, pareça diminuta. Mas no que diz respeito ao resultado surpreendentemente positivo de nossa estatística, relativamente às expectativas astrológicas, ele é tão improvável, que se deve certamente admitir ter havido uma "manipulação". Esta nada tem a ver também com a Astrologia, porque o material existente não explica a enfatização imediata das três conjunções lunares clássicas. O resultado de nosso primeiro experimento combina com nossas experiências do processo mântico, mencionado acima. Tem-se a impressão de que este método e outros semelhantes criam condições favoráveis à ocorrência de coincidências significativas. É bem verdade que a verificação exata do fenômeno sincronístico é uma tarefa difícil, para não dizer impossível. Por isto, deve-se tanto mais realçar o mérito que teve Rhine em demonstrar, com o emprego de material irrepreensível, a coincidência do estado psíquico com o processo objetivo correspondente. Embora o método estatístico em geral seja sumamente inadequado para fazer justiça aos acontecimentos incomuns, contudo, os experimentos de Rhine resistiram à influência ruinosa da estatística. Por isto, seus resultados devem ser levados em conta na avaliação dos fenômenos de sincronicidade.

Em face da influência niveladora do método estatístico sobre a determinação quantitativa de sincronicidade, devemos nos perguntar como Rhine conseguiu, apesar de tudo, obter resultados positivos. *Eu ousaria afirmar que ele jamais alcançaria os resultados obtidos, se tivesse realizado suas experiências com um único sujeito*[62], *ou*

901

902

---

62. Refiro-me a um sujeito escolhido ao acaso, e não a um sujeito especificamente dotado.

mesmo com uns poucos. Ele precisou sempre de renovado interesse, isto é, precisou de uma emoção com seu característico *abaissement mental*, que confere uma certa predominância ao inconsciente. Somente deste modo o espaço e o tempo podem ser relativizados até certo ponto, reduzindo-se, assim, ao mesmo tempo, também a possibilidade de um processo causal. O resultado é, então, uma espécie de *creatio ex nihilo* (criação a partir do nada), *um ato de criação* que não pode ser explicado causalmente. Os procedimentos mânticos devem essencialmente sua eficácia à mesma conexão com a emocionalidade: tocando em uma predisposição inconsciente do sujeito, eles estimulam o seu interesse, sua curiosidade, sua expectativa e seus temores e, consequentemente, suscitam uma predominância correspondente do inconsciente. As potências ativas (numinosas) do inconsciente são os *arquétipos*. Na grande maioria dos fenômenos espontâneos de sincronicidade que eu tive ocasião de observar e analisar percebia-se facilmente que havia uma ligação direta com um arquétipo. Este, em si, é um fator *psicoide* irrepresentável[63] do inconsciente coletivo. Este último não pode ser localizado, porque, em princípio, ou se acha todo inteiro em cada indivíduo ou é o mesmo em toda parte. Nunca podemos dizer com certeza se o que parece acontecer no inconsciente coletivo de um indivíduo em particular não acontece também nos outros indivíduos ou organismos ou coisas ou situações. Na mesma hora, por exemplo, em que a visão de um incêndio em Estocolmo surgiu na consciência de Swedenborg, um fogo verdadeiro irrompia furiosamente naquela cidade[64], sem que houvesse qualquer conexão demonstrável ou imaginável entre os dois. Não pretendo, contudo, provar que haja uma conexão arquetípica neste caso, mas gostaria de lembrar que a biografia de Swedenborg contém certos fatos que lançam uma luz notável sobre seu estado psíquico. Devemos admitir que havia uma baixa do limiar de sua consciência que lhe dava acesso ao "conhecimento absoluto". O incêndio de Estocolmo ardia, em certo sentido, também dentro dele. Para a psique inconsciente, o espaço e o tempo parecem relativos, isto é, o conhecimento se acha em uma

---

63. Cf. "Der Geist der Psychologie", *Eranos-Jahrbuch*, XIV (1946) [Considerações gerais sobre a natureza do psíquico, seção VIII deste volume].
64. Este fato é bem atestado. Cf. relato em KANT, I. *Träume eines Geistersehers*.

espécie de contínuo espaço-tempo no qual o espaço já não é mais espaço e o tempo já não é mais tempo. Se, portanto, o inconsciente desenvolve e mantém um certo potencial em direção à consciência, há a possibilidade de se perceber e "conhecer" acontecimentos paralelos.

Em comparação com a pesquisa de Rhine, a grande desvantagem da estatística astrológica está no fato de quase todo o experimento ser realizado com um só sujeito, ou seja, comigo próprio. Não experimento com muitos sujeitos; pelo contrário, é a variedade do material que desafia *meu* interesse. Por isto eu estou na situação de um sujeito de experimentação que inicialmente se entusiasma, mas depois esfria, acostumando-se, como no caso do experimento ESP. Por isto, os resultados se deterioram com o número crescente de experimentos, o que corresponde à exposição do material em pacotes, isto é, a acumulação de números maiores obscurece o resultado inicial. Meus experimentos posteriores mostraram igualmente que a supressão do arranjo original e a divisão arbitrária dos horóscopos em pacotes produz, como seria de esperar, uma imagem diferente cuja significação, porém, não é de todo clara. 903

Por isto, acho que se deve recomendar a regra de Rhine todas as vezes que (como na Medicina) lida-se com números muito grandes. No início, o interesse e a expectativa do pesquisador poderiam vir acompanhados sincronisticamente de resultados favoráveis, apesar de todas as precauções. Só as pessoas que ignoram o caráter estatístico das leis da natureza é que falam em "milagre". 904

Se – como tudo parece indicar – não se pode explicar causalmente a coincidência ou "conexão cruzada" significativa de certos acontecimentos, então o princípio de ligação consiste na *equivalência de sentidos* dos acontecimentos paralelos; em outras palavras: o seu *tertium comparationis* é o *sentido*. Estamos tão acostumados a considerar o "sentido" como um processo ou um conteúdo psíquico, que relutamos em admitir que ele possa existir também fora de nossa psique. Entretanto, estamos convencidos, pelo menos, de que sabemos o suficiente a respeito da psique, para negar a ela, e muito menos ainda à consciência, qualquer poder mágico. Se, portanto, sustentamos a hipótese de que um só e mesmo significado (transcendental) pode *manifestar-se simultaneamente na psique humana e na ordem de um* 905 *acontecimento externo e independente*, entramos em conflito com os pontos de vista científicos e epistemológicos habituais. Devemos nos recordar constantemente da validade meramente estatística das leis da natureza e do efeito do método estatístico que elimina todos os acontecimentos incomuns, para prestarmos ouvidos a tal hipótese. A grande dificuldade está em que nos faltam totalmente os meios científicos para provar a existência de um sentido *objetivo* que não seja, ao mesmo tempo, um produto da psique. Mas, temos de admitir semelhante ponto de vista, para não recairmos na *causalidade mágica*, e postular para a psique um poder que ultrapassa de muito os limites de sua esfera empírica. Neste caso, para não renunciar à causalidade, seria preciso admitir que o inconsciente de Swedenborg representou o incêndio de Estocolmo ou, inversamente, que o acontecimento objetivo produziu (de forma porém inconcebível) as imagens correspondentes no cérebro de Swedenborg. Em ambos os casos, porém, deparamo-nos mais uma vez com a questão não respondida da transmissão dos fatos acima discutida. Naturalmente, é o sentimento subjetivo que nos dirá qual das hipóteses parece ter mais sentido. A tradição também pouco nos ajudará a escolher entre o sentido transcendental e a causalidade mágica, porque, de um lado, o primitivo sempre explicou a sincronicidade mágica, ao passo que, do outro lado, o pensamento filosófico sempre admitiu, até o século XVIII, uma correspondência secreta ou uma conexão significativa entre os acontecimentos naturais. Prefiro esta última hipótese, porque ela não entra em choque, como a primeira, com o conceito empírico de causalidade, mas pode ser considerada como um princípio *sui generis*. Isto, na verdade, obriga-nos, não a corrigir os princípios da explicação natural, até agora professados, mas a aumentar o seu número, o que só se justifica por razões muito sérias. Acredito, porém, que as indicações dadas no que acabo de expor constituem um argumento que requer uma reflexão cuidadosa. Entre todas as ciências, a Psicologia é a única que não pode se permitir, a longo prazo, o luxo de ignorar as experiências anteriores. Estas coisas são por demais importantes para a compreensão do inconsciente, independentemente das suas implicações filosóficas.

C. Os precursores da Sincronicidade

O princípio da causalidade nos afirma que a conexão entre a causa e o efeito é uma conexão necessária. O princípio da sincronicidade nos afirma que os termos de uma coincidência significativa são ligados pela *simultaneidade* e pelo *significado*. Se admitirmos, portanto, que tanto os experimentos com a ESP, como as inúmeras outras observações individuais comprovam a existência de fatos reais, forçoso nos é concluir que, ao lado da conexão entre causa e efeito, existe na natureza também outro fator que se expressa na sucessão dos acontecimentos e parece ter significado. Embora se reconheça que o significado é uma interpretação antropomórfica, contudo, ele constitui o critério indispensável para julgar o fenômeno da sincronicidade. Não temos nenhuma possibilidade de saber em que consiste o fator que parece ter "significado". Como hipótese, porém, isto não é tão impossível como poderia parecer à primeira vista. Com efeito, devemos lembrar que a atitude racionalista do homem ocidental não é a única possível nem a que tudo abrange; é, sob certos aspectos, um preconceito e uma visão unilateral que talvez seja preciso corrigir. A civilização, muito mais antiga, dos chineses sempre pensou de modo diferente da nossa sob certos aspectos, e temos de recuar até Heráclito, se queremos encontrar algo de parecido em nossa civilização, pelo menos no que diz respeito à Filosofia. Somente no plano da Astrologia, da Alquimia e dos processos mânticos é que não se observam diferenças de princípio entre nossa atitude e a atitude chinesa. É por isto que a Alquimia se desenvolveu em direções paralelas no Ocidente e no Oriente, tendendo para o mesmo objetivo, e com uma formação de ideias mais ou menos idênticas[65].

906

Um dos conceitos mais antigos e mais centrais da Filosofia chinesa é o do *Tao*, que os jesuítas traduziram por "Deus". Mas isto só é correto na maneira de pensar ocidental. Outras traduções, como "Providência" e outras semelhantes, são meros expedientes. R. Wilhelm

907

---

65. Cf. *Psychologie und Alchemie*, p. 486 [OC, 12]; e *Symbolik des Geistes* [OC, 11]; também a doutrina do chên-iên em Wei Po-Yang, *Ísis*, XVIII (1932s., p. 241 e 251), e em Ch'uang-tse [Dschuang-dsi].

interpreta brilhantemente o Tao como *sentido*[66]. O conceito de Tao impregna todo o pensamento filosófico da China. A causalidade desempenha este mesmo papel entre nós, mas só veio adquirir esta importância nos dois últimos séculos, graças à influência niveladora do método estatístico e ao êxito sem precedentes das Ciências naturais, o que levou a visão metafísica do homem à ruína.

908   Lao-Tsé nos dá a seguinte descrição do Tao no seu famoso *Tao Te King*:

> Existe algo de indistintamente completo,
> Anterior à origem do céu e da terra.
> Quão silencioso! Quão vazio!
> Independente e imutável,
> Gira em círculos, desimpedido.
> Podemos considerá-lo a mãe do mundo.
> Não conheço o seu nome.
> Eu o chamo de Tao [Wilhelm: "sentido"].
> Havendo necessidade, eu o chamarei
>   de "O grande" (cap. 25).

909   O Tao "veste e alimenta todas as coisas mas não impera sobre elas". Lao-Tsé o chama de *nada*[67], indicando com isto, como diz Wilhelm, apenas a sua "oposição ao mundo da realidade". Lao-Tsé descreve-lhe a natureza do seguinte modo:

> Trinta raios envolvem um meão:
> Mas é do nada que decorre o efeito do carro
>   [literalmente: utilidade].
> Transformamos pratos e panelas em vasilhas:
> Mas é do nada que decorre o efeito da vasilha.
> Lavramos portas e janelas para uma sala,
> Mas é do nada que decorre o efeito da sala.
> Por isto: se alguma coisa produz a realidade,
> É o nada que produz o efeito (cap. 11).

---

66. Cf. WILHELM, R & JUNG, C.G. *Das Geheimnis der Goldenen Blüte* [O segredo da Flor de Ouro], p. 90s. [OC,13]. • WILHELM, R. *Chinesische Lebensweisheit*. Darmstadt: Reichl V., 1922.

67. O Tao é o contingente que A. Speiser define como "puro nada" (SPEISER, A. *Über die Freiheit* Basler Universitätsreden XXVIII. Basileia: Helbing & Lichtenhahn V., 1950, p. 4).

O "nada" é, evidentemente, o "sentido" ou a "finalidade", e chama-se nada justamente porque em si ele não aparece no mundo dos sentidos, mas é apenas o seu organizador[68]. Assim diz Lao-Tsé:

> Olhamos para ele e não o vemos,
> seu nome é: o Aéreo.
> O ouvido procura escutá-lo mas não consegue ouvi-lo,
> seu nome é: o Rarefeito.
> As mãos procuram agarrá-lo, mas não o encontram,
> seu nome é: o Incorpóreo.
> ....
> É chamado a forma sem forma,
> A imagem sem conteúdo,
> É chamado o Nebuloso-indefinido.
> Se vamos ao seu encontro, não vemos o seu rosto,
> Se vamos atrás dele, não vemos as suas costas (cap. 14).

"Trata-se, portanto – escreve Wilhelm –, de uma concepção que se situa na fronteira do mundo das aparências". Nele, os opostos "se dissolvem na indeterminação", embora ainda existam potencialmente. Estes germes, porém – continua ele – indicam algo que corresponde, em primeiro lugar, ao visível, isto é, *a alguma coisa que tem a natureza de uma imagem*; em segundo lugar, corresponde ao audível, isto é, *a algo que tem a natureza de palavra*; e em terceiro lugar, *à extensão no espaço, isto é, a alguma coisa dotada de forma*. Mas estas três coisas não são claramente distintas nem objetivas; constituem uma unidade *não espacial* (sem um "em cima" e um "embaixo") e *atemporal* (sem um "antes" e um "depois"). Assim diz o *Tao Te King*:

> O Tao [sentido] faz as coisas
> Totalmente nebulosas, totalmente indistintas.
> Tão indistintas, tão nebulosas
> São as imagens nele,
> Tão nebulosas, tão indistintas
> São as coisas nele... (cap. 21).

---

68. WILHELM, R. *Chinesische Lebensweisheit*. Op. cit., p. 16: "Também não se pode incluir a relação entre o sentido [Tao] e a realidade na categoria de causa e efeito...".

912   A realidade, opina Wilhelm, é conceitualmente cognoscível porque, segundo a concepção chinesa, há uma "racionalidade" latente em todas as coisas[69]. Esta é a ideia fundamental que se acha na base da coincidência significativa: esta é possível, porque os dois lados possuem o mesmo sentido. Onde o sentido prevalece, aí resulta a ordem:

> O Sentido [Tao] é a simplicidade suprema sem nome.
> Se os príncipes e os reis pudessem conservá-lo,
> Todas as coisas seriam os seus comensais.
> O povo viveria em harmonia, sem precisar de leis e ordens.
> O Tao não opera,
> E, no entanto, todas as coisas são feitas por ele.
> Ele é impassível,
> E, no entanto, sabe planejar.
> A rede do céu é tão grande, tão grande,
> De grandes malhas, mas não deixa escapar nada (cap. 73).

913   Ch'uang-Tse (um contemporâneo de Platão) diz a respeito das premissas psicológicas nas quais se baseia o Tao: "O estado no qual o eu e o não eu já não se opõem é chamado o eixo do Tao [Sentido]"[70]. Soa como uma crítica contra nossa visão científica do mundo, quando ele afirma que "O Sentido [Tao] se obscurece, quando fixamos o olhar apenas em pequenos segmentos da existência"[71], ou: "As limitações não se devem originalmente ao *sentido* da existência. Originalmente, as palavras não têm significados fixos. As diferenças provêm unicamente da maneira subjetiva de considerar as coisas"[72]. Os sábios da antiguidade, diz Ch'uang-Tse em outra passagem, tomam como ponto de partida "um estado em que a existência das coisas ainda não havia começado. Este era o limite extremo além do qual não era mais possível avançar. A suposição imediata era a de que, embora existissem as coisas, contudo ainda não tinham começado a ser separadas. A suposição seguinte era a de que, embora tivessem sido separadas em certo sentido, a afirmação e a negação ainda não havi-

---

69. Ibid., p. 19.
70. DSCHUANG-DSI. *Das wahre Buch vom südlichen Blütenland*. Livro II. Jena: Diederichs V., 1920, p. 14
71. Livro II, p. 13.
72. Livro II, p. 17.

am começado. Quando surgiu a afirmação e a negação, o *Sentido* [Tao] desapareceu. Quando o Sentido desapareceu, houve uma vinculação unilateral"[73]. "A audição exterior não deve penetrar além do ouvido; o intelecto não deve procurar levar uma existência separada; assim a alma pode se tornar vazia e absorver o mundo inteiro. E o *Sentido* [Tao] é que enche este vazio. Quem não tem entendimento, diz Ch'uang-Tse, use de sua visão interior, de seu ouvido interior para penetrar no coração das coisas, e não precisará de conhecimento intelectual"[74]. Isto é, evidentemente, uma alusão ao conhecimento absoluto do inconsciente, e à presença nos microcosmos de acontecimentos macrocósmicos.

A visão taoísta é típica do pensamento chinês em geral. É um pensamento, sempre que possível, *em termos de globalidade*, como bem acentuou Granet[75], eminente conhecedor da Psicologia chinesa. Podemos observar esta peculiaridade numa conversa ordinária com um chinês: o que nos parece uma questão precisa e direta a respeito de algum detalhe, leva o pensador chinês a uma resposta inesperadamente elaborada, como se lhe tivéssemos pedido um pé de grama e ele nos trouxesse um prado inteiro. Para nós, os detalhes são importantes em si mesmos; para a mente oriental, os detalhes juntos é que formam sempre o quadro global. Nesta totalidade, como na psicologia primitiva ou em nossa psicologia medieval pré-científica (que ainda sobrevive parcialmente!), estão incluídas certas coisas que parecem ligadas entre si "por mero acaso", por uma coincidência cuja significância parece totalmente arbitrária. É aqui que se situa a teoria da *correspondentia*[76], defendida pela Filosofia natural da Idade Média, e

914

---

73. Livro II. p. 5s.
74. Livro IV, p. 29.
75. GRANET, M. *La Pensée chinoise*. Paris: Albin Michel, 1934. Também ABEGG, L. *Ostasien denkt anders*: Versuch einer Analyse des west-östlichen Gegensatzes. Zurique: Atlantis V., 1949. Esta obra faz uma excelente apresentação da mentalidade sincronística dos chineses.
76. O Prof. W. Pauli me chamou gentilmente a atenção para o fato de que Niels Bohr usa "correspondência" como termo geral para exprimir a mediação entre a ideia de descontínuo (partícula) e contínuo (onda) expressa originalmente (1913-1918) como "princípio de correspondência" e mais tarde (1927) como "argumento de correspondência".

particularmente a noção clássica de *simpatia de todas as coisas* (συμπάθεια τῶν ὅλων). Hipócrates afirma: σύρροια μία, σύμπνοια μία, πάντα συμπαθέα, κατὰ μὲν οὐλομελίην πάντα, κατά μέρος δὲ τὰ ἐν ἑκάστῳ μέρει μέρεα πρὸς τὸ ἔργον. ἀρχὴ μεγάλη ἐς ἔσχατον μέρος ἀπικνέεται, ἐξ ἐσχάτου μέρεος εἰς ἀρχὴν μεγάλην ἀπικνέεται, μία φύσις εἶναι καὶ μὴ εἶναι[77]. O princípio universal se encontra até na partícula menor e, por conseguinte, corresponde ao todo.

915 Em Filo (nascido cerca de 25 a.C. e morto depois de 42 d.C.) há uma ideia interessante para as nossas reflexões: "Querendo Deus harmonizar o começo e o fim das coisas criadas, de modo que as coisas ficassem unidas pela necessidade e pela amizade, estabeleceu o céu como começo e o homem como término da criação, criou o primeiro como a mais perfeita de todas as coisas perceptíveis não transitórias, e o segundo como o melhor dos seres passageiros nascidos na terra, como um pequeno céu – para dizermos a verdade – que traz as imagens de diversas naturezas das estrelas... Como, porém, as coisas transitórias e as coisas permanentes se opõem entre si, Ele conferiu a mais bela das formas aos dois, ao começo e ao fim: ao começo ele conferiu – como dissemos – a forma do céu, e ao fim a forma do homem"[78].

916 Aqui se confere ao homem a condição de grande princípio (ἀρχὴ μεγάλη) ou de começo dos céus, a saber, o firmamento, porque, como microcosmo e termo da criação, ele encerra as imagens das naturezas estelares, o todo.

917 Segundo Teofrasto (371-288 a.C.) o suprassensível e o sensível estão unidos por um vínculo de comunhão. Este vínculo não pode ser a Matemática, mas, como se presume, somente a divindade[79]. Também, segundo Plotino, as almas individuais originadas da alma *universal* do mundo se acham ligadas por uma relação mútua de simpa-

---

77. "*Um só* confluir, *um só* conspirar (*conflatio*), tendo todas as coisas um só sentimento. Tudo considerado sob o aspecto da totalidade, mas as partes existentes em cada parte consideradas com vistas à ação. O grande princípio se estende até à parte mais remota e da parte mais remota se alcança o grande princípio: uma só natureza, o ser e o não ser" (*De alimento*. Um tratado atribuído a Hipócrates, p. 79s.).
78. FILO DE ALEXANDRIA. Op. cit. 82, I, p. 28.
79. ZELLER, E. *Die Philosophie der Griechen in ihrer geschichtlichen Entwicklung*. 2. ed. 6. vols. Tübingen: [s.e.], 1859, II, 2ª parte, p. 654.

tia ou antipatia, na qual a distância não exerce nenhuma influência[80]. Em Pico Della Mirandola voltamos a encontrar as mesmas concepções: *"Est enim primum ea in rebus unitas, qua unumquodque sibi est unum sibique constat atque cohaeret. Est ea secundo, per quam altera alteri creatura unitur, et per quam demum omnes mundi partes unus sunt mundus. Tertia atque omnium principalissima est, qua totum universum cum suo opifice quasi exercitus cum suo duce est unum"*[81]. Segundo Pico, as três unidades constituem uma só unidade simples que possui três aspectos (*unitas est ita ternario distincta, ut ab unitatis simplicitate non discedat*), como a Trindade. Para ele, o mundo é um *único* ser, um Deus visível, no qual todas as coisas se acham naturalmente coordenadas desde o princípio, como convém às partes de um organismo vivo. O mundo é o *corpus mysticum* de Deus, como a Igreja é o de Cristo, ou pode ser chamado de espada, como um exército bem adestrado na mão de seu comandante. A ordem universal das coisas segundo a vontade de Deus é uma concepção que não atribui senão um lugar moderno à causalidade. Da mesma forma que as diversas partes de um organismo vivo atuam simultaneamente, numa harmonia recíproca e significativa, assim também os acontecimentos do mundo se acham mutuamente numa relação significativa, que não pode ser deduzida da causalidade imanente. A razão disto é que tanto num caso como no outro, o comportamento das partes depende de uma direção central superior.

Em seu tratado *De hominis dignitate*, Pico afirma: *"nascenti homini omnifaria semina, et omnigenae vitae germina indidit pater..."*[82] Assim como Deus representa como que a *copula* do mundo, assim também o homem a representa no seio da criação. *"Faciamus,* diz

918

---

80. *Enéades*, IV 3,8; IV 4, 32, apud DREWS, A. *Plotin und der Untergang der antiken Weltanschauung*. Jena: [s.e.], 1907, p. 179.

81. "Em primeiro lugar, nas coisas existe *a* unidade graças à qual cada coisa é idêntica a si mesma, subsiste por si mesma e se mantém coesa. Em segundo lugar, é graças à unidade que cada criatura se une às demais, e todas as partes do mundo formam, enfim, *um só* mundo. A terceira e mais importante unidade é aquela graças à qual o universo inteiro é uma só coisa com o seu Criador, como um exército unido a seu comandante" (*Heptaplus*, lib. VI, p. 40s.).

82. *Opera omnia*, p. 315. "Quando o homem nasce, o Pai infunde nele toda espécie de semente e de germes da vida pluriforme."

Pico, *hominem ad imaginem nostram, qui non tam quartus est mundus, quasi nova aliqua creatura, quam trium (mundus supercoelestis, coelestis, sublunaris) quos diximus complexus et colligatio*"[83]. O homem é, no corpo e no espírito, "o pequeno Deus do mundo", o microcosmo (*"Deus... hominem in medio (mundi) statuit ad imaginem suam et similitudinem formarum"*). Por isto o homem é, como Deus, também o centro dos acontecimentos, e todas as coisas estão orientadas também para ele[84]. Este pensamento estranho à mentalidade moderna dominou a imagem do mundo até nossa época, quando a Ciência provou a subordinação do homem à natureza e sua extrema dependência em relação às causas. Com isto baniu-se a ideia de uma correlação entre os acontecimentos e o significado (agora tomado exclusivamente em sentido humano), para uma região tão obscura e tão longínqua, que se tornou inteiramente inacessível à razão humana. Schopenhauer lembrou-se dela um tanto tardiamente, depois que ela constituíra um dos principais itens da explicação científica de Leibniz.

919 Graças à sua natureza microcósmica, o homem é filho do céu, isto é, do macrocosmo. "Eu sou uma estrela que percorre a sua trajetória em vossa companhia", lê-se em uma confissão da liturgia mitraica[85]. Na Alquimia, o microcosmo tem a mesma significação que o *Rotundum* (o redondo), um símbolo muito em voga desde Zósimo de Panópolis (século III), e conhecido também como *Monas* (mônada).

920 A ideia de que o homem interior e exterior constitui a totalidade, a οὐλομελίη de Hipócrates, ou seja, um microcosmo ou a parte menor da criação onde o "grande princípio" (ἀρχὴ μεγάλη) está indivisivelmente presente, caracteriza também o pensamento de Agrippa de Nettesheim. Eis o que este diz: "*Est Platonicarum omnium unanimis sententia, quemadmodum in archetypo mundo omnia sunt in*

---

83. *Heptaplus*, lib. V, cap. VI, p. 38: "Façamos o homem à nossa imagem, o homem que não é um quarto mundo, como se fosse uma nova natureza, mas é a conjunção e a união de três (mundos, a saber: o supraceleste, o celeste e o sublunar)".

84. A doutrina de Pico é um exemplo característico da teoria medieval da correspondência. Uma boa exposição da correspondência cosmológica e astrológica se encontra em ROSENBERG, A. *Zeichen am Himmel*: Das Weltbild der Astrologie. Zurique: Metz V., 1949.

85. DIETERICH, A. *Eine Mithrasliturgie*. 2. ed. Lípsia/Berlim: [s.e.], 1910, p. 9.

omnibus, ita etiam in hoc corporeo mundo, omnia in omnibus esse, modis tamen diversis, pro natura videlicet suscipientium: sic et elementa non solum non sunt in istis inferioribus, sed et in coelis, in stellis, in daemonibus, in angelis, in ipso denique omnium opifice et archetypo"[86]. Os antigos teriam dito: "*omnia plena diis esse*" (todas as coisas estão cheias de deuses). Estes deuses seriam "*virtutes divinae in rebus diffusae*" (forças divinas difundidas nas coisas). Zoroastro as teria chamado "*divinae illices*" (atrativos divinos), e Sinésio, "*symbolicae illecebrae*" (iscas simbólicas)[87]. Esta última interpretação já se aproxima bastante da ideia das *projeções arquetípicas* da moderna Psicologia, embora desde o tempo de Sinésio até ultimamente não tenha havido uma crítica epistemológica, para não falar de sua forma mais recente, ou seja, a crítica psicológica. Agrippa partilha com os platônicos a opinião de que as coisas do mundo inferior encerram uma força (*vis*), graças à qual elas concordam, em grande parte, com as coisas do mundo superior e que, por conseguinte, os animais estão ligados aos "corpos divinos" (isto é, aos corpos celestes, ou aos astros) e exercem influência sobre eles[88]. Ele cita a este respeito os versos de Virgílio:

Haud equidem credo, quia sit divinitus illis
Ingenium, aut rerum fato prudentia maior[89].

Agrippa sugere, com isto, que há um "conhecimento" ou "ideia", inata nos organismos vivos, ideia esta à qual Hans Driesch recorreu também em nossa época[90]. Quer queiramos quer não, encontramo-nos

---

86. *De occulta philosophia libri tres*, lib. I, cap. VIII: "É opinião unânime dos platônicos que, da mesma forma que todas as coisas estão em tudo no mundo arquetípico, assim também todas as coisas estão em tudo no mundo corpóreo, mas de maneiras diferentes e de acordo com a natureza de cada receptor. Assim, os elementos não se acham apenas nesses corpos inferiores, mas também nos céus, nas estrelas, nos demônios, nos anjos e, por fim, no próprio Criador e arquétipo de todas as coisas".
87. Agrippa (op. cit., lib. I, cap. XIV, p. 19) apoia-se aqui na tradução de Marsílio Ficino (*Auctores Platonici*, II, V). Em Sinésio (*Opuscula*, Περὶ ἐνυπνίων, III B), o texto traz: τὸ θελγόμενον (de θέλγειν = excitar, encantar, enfeitiçar).
88. Op. cit., lib. I, cap. LV, p. 69. O mesmo em Paracelso.
89. "Quanto a mim, não acredito que eles sejam dotados de um espírito divino ou de uma previsão das coisas maior do que o oráculo."
90. DRIESCH, H. Op. cit., p. 80 e 82.

nesta mesma situação de embaraço, assim que refletimos seriamente sobre os processos teológicos da Biologia ou investigamos mais acuradamente a função compensadora do inconsciente, ou procuramos mesmo explicar o fenômeno da sincronicidade. As chamadas causas finais – torçamo-las tanto quanto quisermos – postulam uma *precognição de alguma espécie*. Não é, certamente, um conhecimento que possa estar ligado ao eu, e, portanto, não é um conhecimento consciente como o conhecemos, mas um conhecimento inconsciente subsistente em si mesmo, e que eu preferiria chamar de *conhecimento absoluto*. Não é uma cognição no sentido próprio, mas, como disse excelentemente Leibniz, uma *percepção* que consiste – ou, mais cautelosamente, parece consistir – em *simulacra* (imagens) desprovidos de sujeito. Presumivelmente esses *simulacra* postulados são equivalentes aos meus *arquétipos*, que podemos encontrar como fatores formais nos produtos da fantasia. Expressa em linguagem moderna, a ideia do microcosmo que contém "as imagens de todas as criaturas" seria o *inconsciente coletivo*[91]. Por *spiritus mundi*, o *ligamentum animae et corporis*, a *quinta essentia*[92], que ele tem em comum com os alquimistas, provavelmente Agrippa subentende o inconsciente. Este espírito que "penetra todas as coisas", isto é, dá forma a todas as coisas, seria, segundo ele, a alma do mundo: *"Est itaque anima mundi, vita quaedam unica omnia replens, omnia perfundens, omnia colligans et connectens, ut unam reddat totius mundi machinam..."*[93] Por isto, aquelas coisas, nas quais este espírito é particularmente poderoso, têm uma tendência a "gerar outras semelhantes a si"[94], ou, em outras palavras: têm a tendência a produzir correspondências ou *coincidências*

---

91. Cf. minha exposição: "Der Geist der Psychologie", *Eranos-Jahrbuch*, XIV (1946), p. 385s. [Natureza do psíquico, seção VIII deste volume].

92. Agrippa diz a respeito dele (lib. I, cap. XIV, p. 19): "Quoddam quintum super illa (elementa) aut praeter illa subsistens" ["Uma quinta coisa que existe acima deles (isto é, dos elementos) e para além deles"].

93. Lib. II, cap. LVII, p. 203: "Existe, portanto, a alma do mundo, uma espécie de vida única que enche todas as coisas, penetra todas as coisas, liga e mantém unidas todas as coisas, fazendo com que a máquina do mundo inteiro seja uma só..."

94. Op. cit.: "...potentius perfectius que agunt, tum etiam promptius generant sibi simile".

significativas[95], Agrippa dá longas listas destas correspondências, baseadas nos números de um a doze[96]: Uma tabela parecida, mais de inspiração alquímica, encontra-se em um tratado de Egídio de Vadis[97]. Dessas, eu mencionaria apenas a *scala unitatis*, porque é particularmente interessante do ponto de vista da história dos símbolos: "*Iod* (a primeira letra do tetragrama, do nome divino) – *anima mundi – sol – lapis philosophorum – cor – Lucifer*"[98]. Contento-me aqui em dizer que se trata de uma tentativa de estabelecer uma hierarquia de arquétipos. É possível provar empiricamente que há tendências do inconsciente neste sentido[99].

Agrippa foi um contemporâneo mais idoso de Teofrasto Paracelso e, como se sabe, exerceu considerável influência sobre ele[100]. Por isto não é de surpreender que o pensamento de Paracelso viesse a ser dominado pela ideia de correspondência sob qualquer aspecto. Assim escreve Paracelso: "Se alguém quer tornar-se filósofo, sem cair

922

---

95. O zoólogo A.C. Hardy chega a uma conclusão semelhante: "...Perhaps our ideas on evolution may be altered if *something akin to telepathy* – unconscious no doubt – were found to be a factor *in moulding the patterns of behaviour* among members of a species. If there was such a non-conscious group-behaviour plan, distributed between, and linking, the individuals of the race, we might find ourselves coming back to something like those ideas of sub-conscious racial memory of *Samuel Butler*, but on a group rather than an individual basis" ["Talvez nossas ideias sobre a evolução se modifiquem, se se constatar que qualquer coisa semelhante à telepatia – indubitavelmente de natureza inconsciente – é um fator presente na formulação dos esquemas de comportamento entre os membros de uma espécie. Se há um plano de comportamento grupal não consciente, distribuído e, ao mesmo tempo, fazendo a ligação entre os indivíduos da raça, talvez nos vejamos de volta a algo de parecido com as ideias da memória racial subconsciente de *Samuel Butler*, não, porém, fundadas sobre o indivíduo, e sim sobre o grupo"] (*The Scientific Evidence of Extra-Sensory Perception*. Op. cit., p. 328).
96. Lib. II, cap. IV e cap. XIV.
97. *Theatrum chemicum*, II: *Dialogus inter Naturam et filium Philosophiae*, p. 123.
98. AGRIPPA, op. cit., II, cap. IV, p. 104.
99. Cf. a pesquisa sobre o simbolismo da "panela de ouro" de E.T.A. Hoffmann em JAFFÉ, A. "Bilder und Symbole aus E. T. A. Hoffmanns Märchen 'Der Goldene Topf'". *Gestaltungen des Unbewussten* (Psychologische Abhandlungen VII). Zurique: Rascher V., 1950; e JUNG, C.G. *Aion*, Beitrag II, em: Psychologische Abhandlungen VIII [OC, 9/2. *Aion*, Estudos sobre o simbolismo do si-mesmo. Petrópolis: Vozes, 2011].
100. Cf. *Paracelsus als geistige Erscheinung*, p. 47s. [OC, 15].

em erro/ deve lançar os fundamentos da Filosofia/ fazendo do céu e da terra um microcosmo/ sem se afastar da verdade o espaço sequer de um cabelo. Portanto, aquele que quiser lançar os fundamentos da Medicina/ deve-se guardar também do menor erro possível/ e fazer do microcosmo o círculo do céu e da terra,/ de modo que o filósofo não encontra nada no céu e na terra/ que não se encontre também no homem. E o médico não encontra no homem/ o que o céu e a terra também não têm. E estes dois não diferem um do outro/ senão pela forma exterior/ e mesmo a forma de cada lado é entendida como pertencendo a uma só coisa/ etc.[101]" O *Paragranum* contém algumas considerações psicológicas em torno da figura do médico[102]: "Por isso (admitimos), não quatro,/ mas apenas um arcano, que, entretanto, é quadrangular/ como uma torre que faz face aos quatro ventos. E da mesma forma como uma torre não pode deixar de ter um dos ângulos,/ assim também um médico não pode deixar de ter uma das partes... E ao mesmo (tempo) (ele) sabe que o mundo é simbolizado (por) um ovo em sua casca/ e que um pintainho com todas suas substâncias está escondido dentro dele. Assim todas as coisas/ contidas no mundo e no homem/ estão escondidas no médico. E como as galinhas transformam, com seu choco, o mundo figurado contido na casca em um pintainho, assim também a Alquimia faz amadurecer os arcanos filosóficos/ que estão contidos no médico... É aqui que está o erro daqueles/ que não entendem corretamente o médico"[103]. Em minha obra *Psychologie und Alchemie* (1934) mostrei detalhadamente, com outros exemplos, o que tais afirmações significam para a Alquimia.

923   Johann Kepler pensava de maneira semelhante. Assim diz ele em seu *Tertius interveniens* (1640)[104]: (O mundo inferior está ligado ao céu e suas forças são governadas do alto) "segundo a doutrina de Aristóteles, ou seja: que neste mundo inferior ou globo terrestre há uma natureza espiritual, capaz de geometria e que vem à vida *ex ins-*

---

101. Cf. p. 35s. O mesmo em: *Labyrinthus medicorum*, XI, p. 204s.
102. Op. cit., p. 34.
103. Ideias semelhantes se encontram também em Jacob Böhme, *De signatura rerum*, I, 7: "O homem realmente tem as formas dos três mundos dentro de si, porque é uma imagem de Deus ou do Ser de todos os seres..." (p. 6).
104. *Opera omnia*, I.

tinctu creatoris, sine ratiocinatione, e estimula-se a si própria a usar suas forças, através de combinações geométricas e harmônicas dos raios da luz celeste. Não sei dizer se todas as plantas e animais, assim como o globo terrestre, possuem esta faculdade dentro de si. Mas não é coisa incrível..., em todas estas coisas está presente o *instinctus divinus, rationis particeps*, e não a própria inteligência do homem. – Pode-se constatar e provar, de várias maneiras, que o homem também, através de sua alma e de suas faculdades inferiores, tem semelhante afinidade com o céu, como a tem o solo terrestre..."[105]

A respeito do "caráter" astrológico, isto é, da sincronicidade astrológica, afirma Kepler: "Este caráter é recebido, não no corpo, porque este é demasiado impróprio para isto, mas na própria natureza da alma, que se comporta como um ponto e, por isto, pode se transformar no ponto do *confluxus radiorum*. E esta natureza não somente participa da razão da alma pelo que nós, seres humanos, somos chamados racionais em confronto com outras criaturas livres – mas tem também outra razão inata, capaz de apreender instantaneamente, sem longa aprendizagem, a geometria tanto nos *radii* como nas *voces* ou na música"[106]. "Em terceiro lugar, outra coisa maravilhosa é que a natureza que recebe este caráter produz também em seus parentes certa correspondência *in constellationibus coelestibus*. Quando o corpo da mãe grávida está crescido, e se aproxima o tempo natural de dar à luz, a natureza escolhe para o nascimento um dia e uma hora que correspondam ao nascimento do pai ou do irmão da mãe por causa do céu (*non qualitative, sed astronomice et quantitative*)..."[107] "Em quarto lugar: cada natureza conhece não só seu *characterem coelestem*, como também as *configurationes* e os cursos celestes de cada dia, de modo que assim que um planeta se move *de praesenti* para o *ascendentem* de seu *characteris* ou *loca praecipua*, especialmente para os seus *natalitia*, ela os assimila e é afetada e estimulada por eles de várias maneiras"[108].

924

---

105. Ibid., p. 605s., tese 64.
106. Ibid., tese 65.
107. Ibid., tese 67.
108. Ibid., tese 68.

925 Kepler supõe que o segredo da correspondência maravilhosa se funda na terra, pois esta é animada por uma *anima telluris*, cuja existência ele apresenta uma série de provas, entre as quais a temperatura constante debaixo da terra, a capacidade que a alma da terra tem de produzir metais, minerais e fósseis, a *facultas formatrix*, semelhante àquela do ventre materno, e capaz de engendrar formas no interior da terra, que, de outro modo, só ocorrem fora dele, como navios, peixes, reis, soldados etc.[109], e ainda a prática da geometria, porque ela produz os cinco corpos geométricos e as seis figuras hexagonais nos cristais. A *anima telluris* tem tudo isto através de um impulso original e não mediante a reflexão e o raciocínio do homem[110].

926 Ainda segundo Kepler, a sede da sincronicidade não está nos planetas, mas na terra[111], não na matéria, mas precisamente na *anima telluris*. Por isto, qualquer espécie de força natural ou viva nos corpos tem certa semelhança com Deus[112].

927 Tal era o pano de fundo intelectual, quando surgiu Gottfried Wilhelm Leibniz (1646-1716) com a ideia de *harmonia preestabelecida*, isto é, de um *sincronismo* absoluto dos acontecimentos psíquicos e físicos. Esta teoria exauriu-se, afinal, no conceito de "paralelismo psicofísico". A harmonia preestabelecida de Leibniz e a ideia de Schopenhauer, acima discutida, de que a unidade da *prima causa* (causa primária) produz a simultaneidade e a inter-relação de acontecimentos não ligados causalmente de maneira imediata, no fundo são

---

109. Cf. os sonhos indicados no § 935 deste volume.

110. "... formatrix facultas est in visceribus Terrae, quae feminae praegnantis more occursantes foris res humanas, veluti eas videret, in fissilibus lapidibus exprimit, ut militum, monarchorum, pontificum, regum et quicquid in ore hominum est..." ["Há nas vísceras da terra uma faculdade formadora que, à semelhança da mulher grávida quando anda fora de casa, exprime as coisas humanas em pedras graváveis, da maneira como as contempla: formas de soldados, de monarcas, de papas, de reis e de tudo que está na boca dos homens..."] (KEPLER. *Opera omnia*, V, p. 254; o mesmo em II, p. 270s., e também em VI, p. 178s.).

111. "...quod scl. principatus causae in terra sedeat non in planetis ipsis..." (op. cit., II, p. 642).

112. "... ut omne genus naturalium vel animalium facultatum in corporibus Dei quandam gerat similitudinem" (op. cit., p. 643). Devo estas indicações à gentileza de minhas amigas, a Dra. L. Frey-Rohn e a Dra. M.-L. von Franz.

apenas a repetição da antiga concepção peripatética, mas com uma fundamentação determinista moderna, no caso de Schopenhauer, e uma substituição parcial da causalidade por uma ordem precedente, no caso de Leibniz. Para este último, Deus é o Criador da ordem. Assim ele compara a alma e o corpo a dois *relógios sincronizados*[113] e emprega esta mesma imagem para exprimir as relações das mônadas ou enteléquias entre si. Embora as mônadas não possam influir dire-

---

113. LEIBNIZ, G.W. *Kleinere philosophische Schriften*, VI: Zweite Erläuterung des Systems über den Verkehr zwischen den Substanzen, p. 68. Leibniz afirma na mesma página: "Desde o começo Deus criou cada uma destas duas substâncias [isto é, alma e corpo], de tal modo que receba cada qual seu ser, obedecendo unicamente às suas próprias leis, mas concorde, ao mesmo tempo, também a outra substância, como se houvesse entre elas uma influência recíproca ou como se Deus colocasse sempre sua mão sobre elas, de maneira especial, além de sua cooperação geral". O Prof. Pauli bondosamente me lembrou também que Leibniz talvez deva a sua ideia dos relógios sincronizados ao filósofo flamengo Arnold Geulincx (1625-1699). Na sua *Methaphysica vera*, III, encontra-se uma nota sobre a *octava scientia* (GEULINCX, A. *Opera philosophica*. 3 vols. Haia: [s.e.], 1891-1899, II, p. 194s.) onde se diz (p. 296): "...quod non amplius *horologium* voluntatis nostrae quadret cum *horologio* motus in corpore" ["que o relógio de nossa vontade já não esteja sincronizado com o relógio de nosso movimento corporal"]. Uma outra nota explica (p. 297): "Voluntas nostra nullum habet influxum, causalitatem, determinationem, aut efficaciam quamcunque in motum... cum cogitationes nostras bene excutimus, nullam apud nos invenimus ideam seu notionem determinationis... Restat igitur Deus solus primus motor et solus motor, qui et ita motum ordinat atque disponit et ita simul voluntati nostrae licet libere moderatur, ut eodem temporis momento conspiret et voluntas nostra ad projiciendum v.g. pedes inter ambulandum, et simul ipsa illa pedum projectio seu ambulatio" ["Nossa vontade não tem nenhuma influência, nenhum poder causativo ou determinativo, e nenhum efeito de qualquer espécie sobre nosso movimento... Se examinarmos cuidadosamente nossos pensamentos, não encontraremos nenhuma ideia ou conceito de determinação em nós mesmos... Resta, portanto, somente Deus como primeiro motor, e único motor, porque Ele ordena e dispõe o movimento e livremente o coordena com a nossa vontade, de tal modo que nossa vontade queira simultaneamente movimentar os pés para a frente, para caminhar, e simultaneamente haja o movimento dos pés para frente e o ato de caminhar"]. A nota sobre a *nona scientia* (p. 298) acrescenta: "Mens nostra... penitus independens est ab illo [scl. corpore]... omniaque quae de corpore scimus jam praevie quasi et ante nostram cognitionem esse in corpore. Ut illa quodammodo nos in corpore legamus, non vero inscribamus, quod Deo proprium est" ["Nossa mente..., é totalmente independente do corpo... tudo o que sabemos a respeito do corpo já se acha no corpo, antes de nosso pensamento... Assim podemos, de algum modo, ler-nos em nosso próprio corpo, mas não imprimir-nos nele. Somente Deus pode realizar tal coisa"]. Esta ideia antecipa, em certo sentido, a comparação dos relógios usados por Leibniz [grifos de Jung].

tamente umas nas outras (abolição relativa da causalidade), porque não têm "pequenas janelas"[114] contudo são constituídas de tal maneira que sempre estão de acordo, sem terem conhecimento umas das outras. Ele concebe cada mônada como um "pequeno mundo", como um "espelho indivisível ativo"[115]. Não somente o homem, portanto, é um microcosmo que encerra a totalidade em si, como também – guardadas as devidas proporções – qualquer enteléquia ou mônada. Qualquer "substância simples" tem conexões "que expressam todas as outras". "Por isto, ela é um espelho vivo e eterno do universo"[116]. Ele chama as mônadas de "almas de organismos vivos". "A alma obedece às suas próprias leis e o corpo também às suas; eles se ajustam entre si graças à harmonia preestabelecida entre todas as substâncias, porque todas elas são representações de um só e mesmo universo"[117]. Isto exprime claramente a ideia de que o homem é um microcosmo. As almas "em geral, diz Leibniz, são espelhos ou imagens vivas do universo das coisas criadas..." Ele as distingue, de um lado, dos espíritos que são "imagens da divindade" e "capazes de conhecer o sistema do universo e imitar uma parte dele através de modelos arquitetônicos, porque cada espírito é, por assim dizer, pequena divindade dentro de seu domínio"[118]; e, do outro, dos corpos que agem "de acordo com as leis das causas eficientes ou dos movimentos", ao passo que as almas agem "de acordo com as leis das causas finais, através dos apetites, dos fins e dos meios"[119]. Na mônada ou na alma ocorrem mudanças cuja causa é o "apetite"[120]. "O estado mutável que envolve e representa uma pluralidade na unidade ou substân-

---

114. Op. cit., XV: *Die Monadologie*, § 7, p. 151: "As mônadas não têm janelas através das quais alguma coisa pudesse sair ou entrar... Por isto, nem a substância nem os acidentes podem entrar na alma, a partir de fora".

115. Op. cit., XI: Réplica às observações do *Dictionnaire de Bayle*, p. 105.

116. *Monadologie*, § 56, p. 163: "Esta *conexão* ou adaptação de todas as coisas criadas a cada uma individualmente e de cada uma delas a todas as outras significa que cada substância simples tem certas relações que expressam todas as outras, e que, consequentemente, ela é um espelho vivo perpétuo do universo".

117. *Monadologie*, § 78, p. 169.

118. *Monadologie*, § 83, p. 170; e *Theodicee*, B, § 147.

119. *Monadologie*, § 79, p. 169.

120. *Monadologie*, § 15, p. 153.

cia simples nada mais é do que aquilo a que chamamos de *percepção*", diz Leibniz[121]. A "percepção" é "o estado interior da mônada que representa as coisas exteriores" e deve ser distinguido da apreensão consciente, porque a percepção é *consciente*[122]. O grande erro dos cartesianos, diz ele, está no fato de não terem levado em conta as percepções que não são percebidas[123]. A capacidade perceptiva da mônada corresponde ao conhecimento e sua faculdade apetitiva, à *vontade* de Deus[124].

Através destas citações, percebe-se claramente que, ao lado da conexão causal, Leibniz postula também um paralelismo preestabelecido completo dos acontecimentos dentro e fora da mônada. O princípio da sincronicidade torna-se, assim, a regra absoluta em todos os casos em que um acontecimento interior ocorre simultaneamente a outro exterior. Ao invés disto, devemos ter presente que os fenômenos sincronísticos que podem ser verificados empiricamente, longe de constituírem uma regra, são tão raros, que quase sempre se duvida de sua existência. Na realidade, eles são, certamente, muito mais frequentes do que se pensa e se pode provar, mas ainda não sabemos se ocorrem de modo tão frequente e com tanta regularidade, que se possa dizer que são fatos que obedecem a determinadas leis[125]. Até hoje só sabemos que deve haver um princípio subjacente, capaz de explicar todos esses acontecimentos (correlatos).

A concepção primitiva, assim como a concepção clássica e medieval da natureza, postulam a existência de semelhante princípio ao lado da causalidade. Também em Leibniz a causalidade não é o ponto de

928

929

---

121. *Monadologie*, § 14, p. 152.

122. Op. cit., XIV: Die in der Vernumft begründeten Principien der Natur und der Gnade, § 4, p. 140s.

123. *Monadologie*, § 14, p. 152. Cf. tb. o estudo de M.-L. von Franz sobre o *Sonho de Descartes* (*Traum des Descartes*).

124. *Monadologie*, § 48, p. 161; e *Theodicee*, B, § 149.

125. Aqui devo acentuar mais uma vez a possibilidade de a relação entre o corpo e alma ser entendida como uma relação de sincronicidade. Se esta simples conjetura um dia se confirmar, minha atual opinião de que a sincronicidade é um fenômeno relativamente raro será corrigida. Cf. as observações de MEIER, C.A. *Zeitgemässe Probleme der Traumforschung*: ETH, Kultur und Staatswissenschaftliche Schriften Nr. 75. Zurique: Polygraphischer V., 1950, p. 22.

vista único, nem mesmo dominante. No decorrer do século XVIII ela se transforma em princípio exclusivo das Ciências naturais. Com a ascensão das Ciências físicas, no século XIX, a teoria da *correspondentia* desaparece por completo da superfície e o mundo mágico dos tempos antigos parece sepultado para sempre, até que, pelo final do século, os fundadores da Society for Psychical Research suscitaram indiretamente a questão, através da investigação dos chamados fenômenos telepáticos.

930   A concepção medieval, acima descrita, está na base de todos os procedimentos mágicos e mânticos que desempenharam um papel importante desde os tempos mais remotos. A mentalidade medieval consideraria os experimentos sistemáticos de Rhine como operações mágicas cujos efeitos, por isto mesmo, não lhe causariam espanto. Seriam interpretados como "transmissão de energia", o que, aliás, ainda hoje acontece frequentemente, embora, como já dissemos, seja de todo impossível formar uma ideia empiricamente demonstrável do meio transmissor.

931   Certamente não é preciso acentuar que a sincronicidade, para a mente primitiva, era um fato que se explicava por si mesmo e, consequentemente, nesse estágio também não se pensava em acaso. Não havia acidente, doença e morte casuais ou atribuíveis a causas naturais. Tudo era devido, de algum modo, a uma ação mágica: O crocodilo que abocanha um homem enquanto este se banha no rio, fora mandado por um mágico; a doença fora causada pelo espírito de fulano; a serpente que fora vista junto à sepultura da mãe de alguém evidentemente era sua alma. No estágio primitivo, naturalmente, a sincronicidade não aparece como uma ideia em si mesma, mas como uma causalidade "mágica". Esta é uma forma antiga do nosso conceito clássico de causalidade, ao passo que o desenvolvimento da Filosofia chinesa, partindo da conotação do mágico, produziu o "conceito" do Tao, da coincidência significativa, mas não uma ciência baseada na causalidade.

932   A sincronicidade postula um significado aprioristicamente relacionado com a consciência humana e que parece existir fora do homem[126]. Semelhante hipótese ocorre sobretudo na filosofia de Platão,

---

126. Em vista da possibilidade de que a sincronicidade seja não só um fenômeno psicofísico, mas pode acontecer também sem a participação da psique humana, eu gostaria de mencionar que, neste caso, já não se deveria falar em significado, mas em *equivalência* ou conformidade.

a qual admite a existência de imagens ou modelos transcendentais das coisas empíricas, as chamadas εἴδη (formas, *species*), de que as coisas são cópias (εἴδωλα). Esta concepção não somente não apresentou nenhuma dificuldade para os tempos antigos, mas era como que uma evidência em si mesma. A ideia de um significado *a priori* pode também se encontrar na Matemática mais antiga, como nos mostra a paráfrase do matemático Jacobi ao poema *Arquimedes e seu Pupilo* de Schiller. Ele elogia os cálculos da órbita de Urano, e conclui com os seguintes versos:

"As coisas que contemplas no cosmo são apenas um reflexo da glória divina,
É na multidão do Olimpo que o número eterno tem o império".

Atribui-se ao grande matemático Gauss a seguinte frase: "ὁ θεὸς ἀριθμητίζει" (Deus pratica a aritmética)[127].

A ideia de uma sincronicidade e de um significado subsistente por si mesmo, que constitui a base do pensamento chinês clássico e a concepção ingênua da Idade Média, hoje nos parece um arcaísmo que deve ser evitado a todo transe. Embora o Ocidente tenha feito o possível para se libertar desta hipótese antiquada, não o conseguiu inteiramente. Certos procedimentos mânticos parecem desaparecidos, mas a Astrologia, que em nossa época atingiu uma culminância jamais conhecida, permanece viva. Nem mesmo o determinismo da época científica foi capaz de extinguir inteiramente a força persuasiva do princípio da sincronicidade. Com efeito, trata-se, em última análise, não de uma superstição, mas de uma verdade que permaneceu oculta, porque tem menos a ver com o aspecto material dos acontecimentos do que com seu aspecto psíquico. Foram a Psicologia moderna e a Parapsicologia que provaram que a causalidade não explica

---

127. Mas em uma carta do ano de 1830, Gauss escreve: "Devemos confessar, com toda humildade, que, se o número é *apenas* um produto de nossa mente, o espaço tem também uma realidade fora de nossa mente" (KRONECKER, L. *Uber den Zahlbegriff*. Obras III/1. Lípsia: [s.e.], 1899, p. 252). Hermann Weyl entende também que o número é um produto da razão (WEYL, H. "Wissenschaft als symbolische Konstruktion des Menschen". *Eranos Jahrbuch*, XVI (1948). Zurique: Rhein V., 1949, p. 375s.). Markus Fierz, pelo contrário (FIERZ, M. "Zur physikalischen Erkenntnis". *Eranos Jahrbuch*, XVI (1948). 1949, p. 433-460. Zurique, p. 434s.), inclina-se mais para a ideia platônica.

uma determinada classe de acontecimentos, e que, neste caso, é preciso levar em conta um *fator formal*, isto é, a sincronicidade, como princípio de explicação.

935   Para aqueles que se interessam por questões de Psicologia, eu gostaria de mencionar aqui que a ideia peculiar de um significado subsistente por si mesmo é sugerida nos sonhos. Certa vez, enquanto discutíamos esta ideia em meu círculo, alguém fez a seguinte observação: "O quadrado geométrico não ocorre na natureza, exceto nos cristais". Uma senhora que estava presente a esta conversa, teve o seguinte sonho na noite anterior: No jardim havia um grande areeiro, no qual apareciam camadas de lixo. Em uma dessas camadas ela descobriu algumas placas delgadas e friáveis de serpertina verde. Uma dessas placas tinha quadrados pretos, dispostos concentricamente. A cor preta não era pintada, mas entranhada na pedra, como as marcas de uma ágata. Marcas semelhantes encontravam-se também em duas ou três outras placas que um certo Sr. X (apenas conhecido da sonhadora) tomou dela[128]. Outro tema onírico da mesma espécie é o seguinte: O sonhador estava numa região rochosa selvagem e coberta de floresta. Aí descobriu camadas de uma rocha triádica friável à flor da terra. Arrancou as placas e descobriu, para sua imensa surpresa, que as placas apresentavam cabeças humanas em tamanho natural, esculpidas em baixo-relevo. Este sonho se repetiu várias vezes, a longos intervalos[129]. Em outro caso, o sonhador estava "viajando através da tundra siberiana e encontrou um animal que ele procurava havia muito tempo: era maior do que uma galinha em tamanho natural e feito de algo semelhante a um vidro delgado e incolor. Mas estava vivo e acabava de surgir casualmente de um organismo celular microscópico que tinha o poder de se converter subitamente em qualquer espécie de animal (que, aliás, não existem na tundra) ou em objetos de uso humano de qualquer tamanho. No momento seguinte,

---

128. De acordo com a regra da interpretação dos sonhos, o Sr. A. representa o *animus* que, como personificação do inconsciente, assume os sinais como *lusus naturae*, isto é, a consciência não os utiliza nem os entende.

129. A repetição do sonho exprime a insistência do inconsciente em conduzir o conteúdo do sonho para a consciência.

todas estas formas casuais desapareceram sem deixar vestígio". Outro tema da mesma espécie é o seguinte: O sonhador passeava em uma região montanhosa selvagem e coberta de floresta. No topo de uma encosta íngreme deu com um cone rochoso cheio de buracos, onde se encontrava um homenzinho castanho da mesma cor do óxido de ferro de que a rocha se achava revestida[130]. O homenzinho estava ocupado em abrir uma caverna na rocha, no fundo da qual se podia ver um feixe de colunas esculpidas na rocha viva. No topo de cada coluna havia uma cabeça humana moreno-escura com grandes olhos, trabalhada com extremo cuidado em uma pedra muito dura, semelhante à linhita. O homenzinho libertou esta formação do conglomerado amorfo contíguo. No início, o sonhador não acreditava no que seus olhos viam, mas, em seguida, teve de admitir que esta formação se prolongava realmente na rocha viva e, por isto, devia se ter originado sem o concurso humano. O sonhador observou que aquele cone rochoso tinha pelo menos 500.000 anos de existência e que, por conseguinte, era absolutamente impossível que o artefato tivesse sido produzido por mãos humanas[131].

Estes sonhos parecem descrever a presença de um fator formal na natureza. Não se trata de um mero *lusus naturae* (brincadeira da natureza), mas da coincidência significativa de um produto absolutamente natural com uma ideia humana (independente dela). É isto o que os sonhos evidentemente expressam[132] e procuram aproximar da consciência através da repetição.

936

---

130. Trata-se de um *Anthroparion* ou o chamado "homúnculo de bronze".
131. Cf. as ideias de Kepler acima mencionadas.
132. Aqueles para os quais a mensagem dos sonhos parece incompreensível, provavelmente suspeitarão de que ela contém um significado totalmente diferente, o que corresponde muito bem as suas opiniões preconcebidas. Qualquer um pode entregar-se à fantasia em torno de qualquer coisa, até mesmo dos sonhos. Quanto a mim, prefiro ficar o mais perto possível daquilo que os sonhos nos dizem, e tentar expressá-los de acordo com seu significado manifesto. Se verifico que é impossível ligar este significado à situação consciente do sonhador, então reconheço honestamente que não entendo o sonho, mas me guardo de manipulá-lo com toda espécie de artificialismo e fazê-lo concordar com minha teoria preconcebida.

D. Conclusão

937   Não considero estas minhas explanações, absolutamente, como uma prova definitiva de meus pontos de vista, mas apenas como uma conclusão a partir de premissas empíricas que eu gostaria de submeter aqui à consideração de meus leitores. Do presente material não posso derivar nenhuma outra hipótese capaz de explicar os fatos (incluindo os experimentos com a ESP). Dou-me suficientemente conta de que a sincronicidade é um fator sumamente abstrato e irrepresentável. Atribuo aos corpos em movimento uma certa propriedade psicoide que, como o espaço, o tempo e a causalidade, constitui um critério de seu comportamento. Devemos renunciar inteiramente à ideia de uma psique ligada a um cérebro e nos lembrar, ao contrário, do comportamento "significativo" ou "inteligente" dos organismos inferiores desprovidos de cérebro. Aqui nos encontramos mais próximos do fator formal que, como dissemos, nada tem a ver com a atividade cerebral.

938   Sendo assim, devemos nos perguntar aqui se a relação entre a alma e o corpo não pode ser comparada sob este ângulo, isto é, se a coordenação dos processos psíquicos e físicos no organismo vivo pode ser entendida como um fenômeno sincronístico, em vez de uma relação causal. Tanto Geulincx quanto Leibniz consideravam a coordenação do psíquico e do físico como um ato de Deus, portanto de um princípio situado fora da natureza empírica. A suposição de uma relação causal entre a psique e o corpo nos conduz, por outro lado, a conclusões que dificilmente quadrariam com a experiência: ou há processos psíquicos que dão origem a acontecimentos psíquicos, ou há uma psique preexistente que organiza a matéria. No primeiro caso é difícil ver como processos químicos sejam jamais capazes de produzir processos psíquicos, e, no segundo caso, de que modo uma psique imaterial poderá colocar a matéria em movimento. Não é necessário pensar na *harmonia praestabilita* de Leibniz, algo absoluto e que se manifestasse em uma correspondência e simpatia geral, à semelhança da coincidência significativa de instantes situados no mesmo grau de latitude, segundo Schopenhauer. A sincronicidade possui certas qualidades que podem nos ajudar a esclarecer o problema corpo-alma. É sobretudo o fato da ordem sem causa, ou melhor, do ordenamento

significativo que poderia lançar alguma luz sobre o paralelismo psicofísico. O "conhecimento absoluto", que é característico dos fenômenos sincronísticos, conhecimento não transmitido através dos órgãos do sentido, serve de base à hipótese do significado subsistente em si mesmo, ou exprime sua existência. Esta forma de existência só pode ser *transcendental* porque, como nos mostra o conhecimento de acontecimentos futuros ou espacialmente distantes, situa-se em um espaço psiquicamente relativo e num tempo correspondente, isto é, em um contínuo espaço-tempo irrepresentável.

Talvez valha a pena examinar mais de perto, sob este ponto de vista, certas experiências que parecem revelar a existência de processos psíquicos naquilo que comumente se considera como um estado inconsciente. Penso aqui, sobretudo, nas observações notáveis, feitas durante síncopes profundas decorrentes de lesões cerebrais graves. Contra todas as expectativas, uma lesão craniana grave nem sempre implica a correspondente perda de consciência. Ao observador, a pessoa que sofreu a lesão parece apática, paralisada, "em transe" e subjetivamente privada dos sentidos, porém a consciência não se acha extinta. A comunicação sensorial com o mundo exterior acha-se grandemente limitada, mas nem sempre é completamente suprimida, embora o barulho de guerra, por exemplo, possa ceder repentinamente o lugar a um "silêncio" solene. Neste estado, ocorre uma sensação muito nítida e impressionante de alucinação ou levitação: a pessoa ferida tem impressão de que se eleva no ar na mesma posição em que se encontrava no momento em que recebeu o ferimento. Se foi ferida de pé, eleva-se de pé; se estava deitada, eleva-se deitada; se estava sentada, eleva-se sentada. Ocasionalmente, tem a impressão de que o espaço circundante se eleva também, como, por exemplo, toda a casamata em que estava naquele determinado momento. A altura da levitação pode ir de meio metro a vários metros. Perde-se a sensação do peso. Em alguns casos, o ferido acredita que executa movimentos de natação com os braços: se há alguma percepção do espaço circundante, o mais das vezes parece imaginária, isto é, composta de imagens da memória. Durante a levitação, a disposição interior é predominantemente eufórica: "sublime, solene, lindo, celestial, relaxante, feliz, despreocupado, excitante", são as palavras usadas para descrever este estado. É uma espécie de "experiência de ascensão aos céus"[133]. Jantz e Beringer ressaltam que o ferido pode despertar de sua síncope mediante estímulos notavelmente muito leves, como, por exemplo, quando chamado pelo nome ou tocado, ao passo que o mais violento barulho de guerra não produz efeito.

940   Pode-se observar algo de semelhante nos desmaios profundos que resultam de outras causas. Eu gostaria de mencionar um caso tomado de minha própria experiência médica: Uma paciente, cuja sinceridade e veracidade não tenho motivos para duvidar, contou-me que seu primeiro parto foi muito difícil. Depois de trinta horas de trabalho infrutífero, o médico achou que um parto com fórceps era indicado. O parto foi realizado sob ligeira narcose, e acompanhado de ampla ruptura do períneo e grande perda de sangue. Quando o médico, a mãe e o marido já haviam saído e tudo fora arrumado, a enfermeira quis sair também para comer, e a paciente ouviu-a perguntar através da porta: "Deseja ainda alguma coisa antes que eu saia para o jantar?" A paciente queria responder, mas não conseguia mais. Tinha a sensação de que mergulhava, leito adentro, num vazio sem fundo. Ainda pôde notar que a enfermeira correu para seu leito, pegou-lhe a mão e tomou-lhe o pulso. Pela maneira como ela movimentava os dedos, para lá e para cá, a paciente concluiu que o pulso evidentemente tornara-se quase imperceptível. Como se sentia muito bem, ela se divertia com o susto da enfermeira. Ela própria não tinha o menor medo. Foi a última coisa de que pôde se lembrar por um espaço de tempo que não sabia calcular. A próxima coisa de que tomou consciência foi que, sem sentir seu corpo e a posição em que jazia, ela olhava para baixo, de algum ponto situado junto ao teto do quarto, e podia ver tudo o que se passava no recinto, abaixo dela: via a si mesma deitada na cama, mortalmente pálida, de olhos fechados. A enfermeira estava de pé a seu lado. O médico andava agitado para lá e para cá, no quarto, e parecia haver perdido a cabeça, sem saber realmente o que fazer. Seus familiares chegaram até a porta. Sua mãe e seu marido entraram e a contemplavam assustados. A paciente dizia para si mesma que era uma estupidez o fato de eles pensarem que ela estava morrendo. Ora, ela não tinha voltado a si? Em todo este tempo, ela

---

133. JANTZ, H. & BERINGER, K. "Das Syndrom des Schwebeerlebnisses unmittelbar nach Kopfverletzungen". *Der Nervenarzt*, XVII, 1944, p. 202. Berlim.

sabia que havia por trás dela uma paisagem magnífica, semelhante a um parque, brilhando com as cores mais vivas, e em particular havia um prado de um verde esmeralda, com a grama cortada rente, que descia suavemente por uma encosta, em direção a um portão de ferro, através do qual se podia entrar no parque. Era a primavera e pequenas flores coloridas como ela nunca tinha visto, permeavam a grama. A região cintilava sob a luz forte do sol e todas as cores eram de um esplendor indescritível. A encosta era flanqueada de ambos os lados por árvores verde-escuras. O parque lhe dava a impressão de ser uma floresta onde pé humano jamais pisara. "Eu sabia que ali estava a entrada para outro mundo e que, se me voltasse, para olhar diretamente o espetáculo, eu me sentiria tentada a atravessar a porta e, assim, sair da vida". Ela não via propriamente a paisagem, porque estava de costas para ela, mas sabia que se achava ali. Sentia que nada a impediria de atravessar o portão e entrar no parque. Sabia apenas que estava voltando ao corpo e não morreria. Por isto achava que a agitação do médico e a preocupação dos parentes eram estúpidas e descabidas.

941 A próxima coisa que aconteceu foi ela despertar de seu estado de coma, ver sua enfermeira, que se debruçava sobre seu leito. Disseram-lhe, então, que estivera inconsciente por quase meia hora. No dia seguinte, quinze horas mais ou menos depois, quando já se sentia mais forte, fez uma observação crítica a respeito do comportamento aparentemente incompetente e "histérico" do médico durante o desmaio dela. A enfermeira repeliu energicamente a crítica, na crença justificada de que a paciente estivera completamente inconsciente e, por isto, não poderia ter percebido nada da cena. Somente quando a paciente descreveu detalhadamente o que havia se passado durante seu desmaio, é que a enfermeira teve de admitir que a paciente havia percebido os acontecimentos exatamente da maneira como se haviam passado na realidade.

942 Podemos supor que se tratava simplesmente de um estado crepuscular psicogênico em que uma parte da consciência dividida continuava em funcionamento. Entretanto, a paciente nunca fora histérica, mas sofrera um verdadeiro colapso cardíaco, acompanhado de uma síncope resultante de uma anemia cerebral, como indicavam todos os sintomas exteriores e evidentemente alarmantes. Ela estivera realmente desmaiada e, consequentemente, deve ter tido um obscu-

recimento psíquico completo, tornando-se totalmente incapaz de qualquer observação exata e de qualquer julgamento. Curioso é que não se tratava de uma percepção imediata da situação mediante observação indireta e inconsciente; ela via toda a situação a partir de cima, como se seus "olhos estivessem no teto", como ela significativamente explicou.

943 Na realidade, não é fácil explicar que tais processos psíquicos inusitadamente intensos podem ocorrer em estado de colapso grave e ser lembrados depois, e como o paciente pode observar acontecimentos reais em seus detalhes concretos, com os olhos fechados. Segundo todos os pressupostos, era de esperar que uma anemia cerebral tão definida afetasse notavelmente ou mesmo impedisse a ocorrência de processos psíquicos tão altamente complexos.

944 Sir Auckland Geddes apresentou à Royal Medical Society, em 27 de fevereiro de 1927, um caso muito parecido, no qual, porém, a ESP ia muito além. Durante o estado de colapso, o paciente observou que ocorria a dissociação de sua consciência integral com relação à sua consciência corporal, tendo esta última se resolvido gradualmente em suas componentes orgânicas. A outra consciência possuía uma ESP verificável[134].

945 Estas experiências parecem mostrar que nos estados de síncope nos quais, segundo todos os padrões de julgamento humano, há plena certeza de que a atividade da consciência e sobretudo as percepções sensoriais estão suspensas, a consciência, as ideias reproduzíveis, os atos de julgamento e as percepções podem continuar a existir contra todas as expectativas. A sensação de levitação que ocorre nestas ocasiões, bem como a alteração do ângulo de visão e a extinção da audição e das percepções cinestésicas indicam uma mudança da localização da consciência, uma espécie de separação do corpo ou do córtex cerebral ou cérebro, onde se supõe esteja a sede dos fenômenos conscientes. Se nossas considerações são corretas, devemos nos perguntar se não existe em nós outro substrato nervoso ou cérebro que possa pensar e perceber, ou se os processos psíquicos que ocorrem

---

134. Cf. o relato de Tyrrell, em sua obra *The Personality of Man*, p. 197s. Na p. 199s. se encontra outro caso desta natureza.

em nós durante a perda de consciência não são fenômenos sincronísticos que não têm nenhuma conexão causal com os processos orgânicos. Não se deve excluir *a priori* esta última possibilidade, sobretudo dada a existência da ESP, ou percepções independentes do tempo e do espaço que não podem ser explicadas simplesmente como processos do substrato biológico. Onde percepções sensoriais são impossíveis, já de início, só se pode pensar em sincronicidade. Mas onde existem condições espaciais e temporais que tornem possíveis, em princípio, a percepção e a apercepção, e só a atividade da consciência, ou seja, presumivelmente a função cortical, está extinta, e onde, não obstante, como em nosso exemplo, ocorre um fenômeno consciente, como a percepção e o julgamento, poderia se tratar de um substrato nervoso. Todavia, é quase axiomático dizer que os processos conscientes estão ligados ao cérebro, e todos os centros interiores não contêm senão cadeias de reflexos que em si são inconscientes. Este axioma se aplica de modo particular ao domínio do sistema simpático. Por isto os insetos que não possuem sistema nervoso cérebro-espinal, mas apenas o sistema ganglionar, são considerados autômatos reflexos.

Este ponto de vista foi abalado, de algum modo, pelas pesquisas realizadas por K.V. Frisch, de Graz, a respeito da vida das abelhas. Ele descobriu que elas não só comunicam a suas companheiras, por meio de uma espécie de dança, que encontraram uma fonte de alimentação, mas indicam também a direção e a distância. Esta informação torna as novatas capazes de voar diretamente para a fonte de alimentação[135]. Esta espécie de mensagem não é diferente, em princípio, de uma informação transmitida por um ser humano. No último caso certamente consideraríamos tal comportamento como um ato consciente e intencional, e dificilmente conseguimos imaginar como um acusado ou seu advogado poderiam provar diante de um tribunal que esse comportamento foi um ato inconsciente. Poderíamos, em caso de necessidade, admitir, com base em experiências psiquiátricas, que uma informação objetiva pode ser transmitida excepcionalmente em estado crepuscular; mas negaríamos expressamente que tais comunicações são normalmente inconscientes. Entretanto, seria possí-

946

---

135. FRISCH, K. von. *Aus dem Leben der Bienen*. 4. ed. Berlim: Julius Springer V., 1948, p. 111s.

vel admitir que, no caso das abelhas, o processo descrito é inconsciente. Mas isso não nos ajudaria a resolver o problema, porque continuamos diante do fato de que, em princípio, o sistema ganglionar aparentemente produz o mesmo resultado que nosso córtex cerebral. Aliás, é impossível provar que as abelhas sejam inconscientes.

947   Assim, somos levados à conclusão de que um substrato nervoso como o sistema simpático, que é tão diferente do sistema cérebro-espinal no que diz respeito à origem e à função, pode evidentemente produzir pensamentos e percepções, como o primeiro. O que devemos então pensar do sistema simpático dos vertebrados? Pode ele produzir ou transmitir também processos especificamente psíquicos? As observações de V. Frisch provam a existência de pensamentos e percepções transcerebrais. É preciso ter presente esta possibilidade, se pretendemos explicar a existência de alguma forma de consciência durante a inconsciência do estado de coma. Durante uma síncope ou estado de coma o simpático não está paralisado e, por isto, poderia ser considerado como um possível portador de funções psíquicas. Se assim é, então devemos perguntar também se o estado normal de inconsciência durante o sono que contém sonhos potencialmente conscientes não poderia ser considerado sob este mesmo ponto de vista? Em outras palavras: se não se poderia dizer que os sonhos são produzidos, não tanto pela atividade do córtex adormecido, quanto pelo simpático não afetado pelo sono, e que, por isso, são de natureza transcerebral?

948   Afora o seu paralelismo psicofísico ainda não inteiramente esclarecido, a sincronicidade não é um fenômeno cuja regularidade e constância sejam fáceis de provar. Se, por um lado, impressiona-nos a desarmonia das coisas, também nos surpreende sua harmonia ocasional. Em contraste com a ideia de uma harmonia preestabelecida, o fator sincronístico postula apenas a existência de um princípio necessário à atividade cognitiva de nossa razão, princípio que se poderia acrescentar como quarto alimento à tríade espaço, tempo e causalidade. Da mesma forma que estes fatores são necessários mas não absolutos – a maioria dos conteúdos psíquicos não está ligada ao espaço, e o tempo e a causalidade são psiquicamente relativos – assim também o fator sincronístico só é válido condicionalmente. Ao contrário da causalidade que impera, por assim dizer, despoticamente

sobre a imagem do mundo macrofísico, cujo domínio universal se acha abalado apenas em certas ordens de grandeza interiores, a sincronicidade é um fenômeno que parece estar ligado primariamente a certas condições físicas, ou aos processos do inconsciente. Fenômenos sincronísticos ocorrem, experimentalmente, com certa regularidade e frequência nos procedimentos "mágicos" intuitivos, onde são subjetivamente convincentes, mas extremamente difíceis de verificar objetivamente, e não podem ser avaliados estatisticamente (pelo menos no momento atual).

No plano orgânico, talvez se pudesse considerar a morfogênese biológica sob o ponto de vista do fator sincronístico. O Prof. A.-M. Dalcq (de Bruxelas) entende que a forma é uma "continuidade superior" à matéria viva, apesar de sua vinculação com a matéria[136]. Sir James Jeans inclui também a desintegração radioativa entre os acontecimentos acausais, dos quais fazem parte também, como vimos acima, os fenômenos sincronísticos. "A desintegração radioativa – diz ele – aparecia como *um efeito sem causa* e sugeria que nem mesmo as últimas leis da natureza são causais"[137]. Esta formulação altamente paradoxal, saída da pena de um físico, é característica do estado de perplexidade que a desintegração radioativa acarreta para o intelecto. A desintegração radioativa, ou mais implicitamente o fenômeno da "meia-vida", aparece, na realidade, como um caso de ordenamento acausal – conceito este que inclui também a sincronicidade, e ao qual voltarei mais adiante.

949

A sincronicidade não é uma teoria filosófica, mas um conceito empírico que postula um princípio necessário ao conhecimento. Não se pode dizer que isto seja materialismo ou metafísica. Nenhum pesquisador sério afirmaria que a natureza daquilo que pode ser objeto de observação e daquilo que observa, isto é, a psique, sejam grandezas conhecidas e reconhecidas. Se as conclusões mais recentes da Ciência se aproximam de um conceito unitário do ser, caracterizado pelo tempo e pelo espaço, de um lado, e pela causalidade, do outro,

950

---

136. *La Morphogénèse dans le cadre de la biologie générale*. Cf. acima a conclusão semelhante a que chegou o zoólogo A.C. Hardy [§ 921, nota 95].
137. JEANS, J. *Physik und Philosophie*. Zurique: Rascher V., 1944, p. 188 e 220 [grifo de Jung].

tal fato nada tem a ver com o materialismo. Pelo contrário, parece que aqui se oferece a possibilidade de eliminar a incomensurabilidade entre o observado e o observador. Se isto acontecesse, o resultado seria uma unidade de ser que teria de se exprimir através de uma nova linguagem conceitual, isto é, de uma "linguagem neutra", como a chamou muito apropriadamente W. Pauli.

951   O espaço, o tempo e causalidade, a tríade da Física clássica, seriam complementados pelo fator sincronicidade, convertendo-se em uma tétrada, um quatérnio que nos torna possível um julgamento da totalidade:

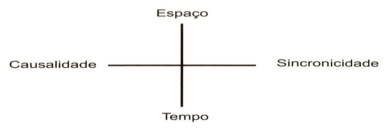

952   A sincronicidade, aqui, está para os três outros princípios, assim como a unidimensionalidade[138] do tempo está para a tridimensionalidade do espaço, ou se comporta como o quarto recalcitrante do *Timeu* que só pode se juntar aos outros três "à força", como diz Platão[139]. Da mesma forma que a introdução do tempo como quarta dimensão na Física moderna implica o postulado de um contínuo espaço-tempo irrepresentável, assim também a ideia de sincronicidade com seu caráter próprio de significado produz uma imagem do mundo de tal modo também irrepresentável, que poderia levar à confusão[140]. A vantagem, porém, de se acrescentar este conceito é que ele

---

138. Não falo, aqui, da pluridimensalidade do tempo proposta por Dirac.
139. Cf. minha obra *Versuch einer psychologischen Deutung des Trinitätsdogmas*, em: *Symbolik des Geistes*, p. 323s. [edição brasileira: *Tentativa de uma interpretação psicológica do Dogma da Trindade*] [OC, 11. Petrópolis: Vozes, 1980].
140. Sir James Jeans (*Physics and Philosophy*, p. 215) [trad. alemã: *Physik und Philosophie*. Op. cit., p. 313] acha possível "que as origens dos acontecimentos neste substrato [isto é, para além do espaço e do tempo] incluam *também nossas atividades mentais*, de sorte que o curso dos acontecimentos futuros depende em parte dessa atividade mental" [grifo de Jung].

torna possível uma maneira de ver que inclui o fator psicoide em nossa descrição e no conhecimento da natureza, ou seja, um significado apriorístico (ou uma "equivalência"). Desta forma se repete e se resolve um problema que percorre como um fio vermelho as especulações da Filosofia alquimista durante meio milênio; ou seja, o chamado *Axioma de Maria, a Judia* (ou Copta): ἐκ τοῦ τρίτου τὸ ἕν τέταρτον (é do terceiro que provém o Uno [como] quarto)[141]. Esta observação de sentido obscuro confirma o que eu disse acima, a saber: que, em princípio, geralmente se descobrem novos pontos de vista, não em terreno já conhecido, mas em lugares marginalizados, evitados ou mesmo mal-afamados. O antigo sonho dos alquimistas, ou seja, a transmutação dos elementos químicos, ideia tão ridicularizada, tornou-se realidade em nossos dias, e seu simbolismo, que era também, e não menos, objeto de escárnio, tornou-se uma mina de ouro para a Psicologia do inconsciente. Seu dilema do três e do quatro, que começa já com a narrativa que serve de moldura para o *Timeu* e vai até à cena dos Cabiros do *Fausto II* (de Goethe), foi reconhecido por um alquimista do século XVII, Gerhard Dorn (Gerardus Dorneus), como sendo a decisão entre a Trindade cristã e o *serpens quadricornutus* (a serpente de quatro chifres), isto é, o diabo. Como se tivesse uma premonição de coisas que haveriam de acontecer, ele se volta contra a quaternidade pagã que, no entanto, era altamente estimada pelos alquimistas, sob o pretexto de que ela surgira do *binarius* (do número dois) e, portanto, de alguma coisa material, feminina e diabólica[142]. M.-L. von Franz demonstrou o surgimento desse pensamento trinitário na parábola de Bernardo Trevisano, em seguida no *Amphitheatrum* de Khunrath, em M. Maier e no Anonymus (autor anônimo) do *Aquarium Sapientum*[143]. W. Pauli chama a atenção para a polêmica travada entre Kepler e Robert Fludd, na qual a teoria da correspondência defendida pelo último foi derrotada e teve de ceder lugar à teoria dos três princípios de Kepler[144]. À decisão em favor da tríada que, sob certos aspectos, contradiz a tradição alquímica, sucedeu

---

141. Cf. *Psychologie und Alchemie* [OC, 12].
142. *Theatrum chemicum I: De tenebris contra naturam*, p. 518s.
143. FRANZ, M.-L. von. *Die Parabel von der Fontina des Grafen von Tarvis*. Por enquanto só em manuscrito, ainda não impresso.
144. Cf. a segunda contribuição do volume *Naturerklärung und Psyche*.

uma era científica que já nada sabia da *correspondentia* e se apegou à visão triádica do mundo – uma continuação do tipo de pensamento trinitário – que descreve e explica todas as coisas em termos de espaço, tempo e causalidade.

953   A revolução da Física produzida pela descoberta da radioatividade modificou consideravelmente as concepções clássicas dessa disciplina. Tão grande foi a mudança de perspectiva, que temos de rever o esquema clássico a que acima recorri. Graças ao interesse amigável que o Prof. W. Pauli demonstrou para com minhas pesquisas, gozei da situação privilegiada de poder discutir estas questões com um físico profissional que era, ao mesmo tempo, capaz de apreciar meus argumentos psicológicos. Por isto, hoje estou em condições de apresentar uma sugestão que leva em consideração os dados da Física moderna. Pauli sugeriu que se substituísse a oposição de espaço e tempo do esquema clássico pela relação (conservação da) energia-contínuo espaçotempo. Foi esta proposta que me levou a definir mais acuradamente o par de opostos causalidade-sincronicidade, com vistas a estabelecer certa ligação entre os dois conceitos heterogêneos. Acabamos, finalmente, concordando em torno do seguinte quatérnio:

954   Este esquema satisfaz, de um lado, aos postulados da Física moderna e, do outro, aos postulados da Psicologia. O ponto de vista psicológico precisa de explicação. Uma explicação causalista da sincronicidade parece excluída de antemão, pelas razões dadas acima. Ela consiste essencialmente em equivalências "casuais". O seu *tertium comparationis* repousa sobre os fatores psicoides, que eu chamo arquétipos. Estes últimos são *indefinidos*, isto é, só podem ser conhecidos e determinados de maneira aproximativa. Embora estejam associados a processos causais, ou "portados" por eles, contudo estão continuamente ultrapassando os seus próprios limites, procedimento este a que eu daria o nome de *transgressividade porque os arquétipos*

não se acham de maneira certa e exclusiva na esfera psíquica, mas podem ocorrer também em circunstâncias não psíquicas (equivalência de um processo físico externo com um processo psíquico). As equivalências arquetípicas são *contingentes* à determinação causal, isto é, entre elas e os processos causais não há relações conformes a leis. Por isto, parece que elas representam um exemplo especial de acidentalidade ou acaso ou "estado aleatório", "que atravessa o tempo de maneira totalmente conforme à lei", como diz Andreas Speiser[145]. É um estado inicial "não determinado por alguma lei mecânica". É a condição preliminar ou o substrato casual sobre o qual a lei se baseia. Se associarmos a sincronicidade ou os arquétipos ao contingente, este último assume o aspecto específico de uma *modalidade* que tem o significado funcional de um fator constitutivo do mundo. O arquétipo representa a *probabilidade psíquica*, porque retrata os acontecimentos ordinários e instintivos em uma espécie de *tipos*. É um exemplo psíquico especial da probabilidade geral que "é constituída de leis do acaso e estabelece regras tanto para a natureza quanto para a mecânica"[146]. Devemos concordar com Speiser quando afirma que, embora no âmbito do intelecto puro, o contingente seja "uma matéria sem forma", ele se revela à introspecção psíquica, na medida em que a percepção interior seja capaz de apreendê-lo como imagem ou, antes, como tipo que está na base não só das equivalências psíquicas mas notavelmente também das equivalências psicofísicas.

É difícil despojar a linguagem conceitual de seu colorido causalista. Assim, a expressão "estar na base de", apesar de suas conotações causalistas, não se refere a nada de causal, mas a uma *qualidade existente que expressa simplesmente aquilo que ela é, e não outra coisa*, ou seja, uma contingência irredutível em si mesma. A coincidência significativa ou equivalência de um estado psíquico que não tem nenhuma relação causal recíproca significa, em termos gerais, que é uma modalidade sem causa, uma organização acausal. Surge aqui a questão se nossa definição de sincronicidade relativa à equivalência de processos psíquicos e físicos não é capaz de *ampliação*, ou se não exige uma ampliação. Esta exigência parece se impor a nós, quando consideramos nossa concepção mais geral de sincronicidade como uma "organização acausal".

955

---

145. SPEISER, A. *Über die Freiheit* Basler Universitätsreden XXVIII. Op. cit., p. 4s.
146. Ibid., p. 5s.

Nesta categoria se incluem simplesmente todos os "atos de criação", os fatores *a priori*, como, por exemplo, as propriedades dos números inteiros, as descontinuidades da Física moderna etc. Consequentemente teríamos de incluir no círculo de nosso conceito ampliado certos fenômenos constantes e experimentalmente reproduzíveis, o que não parece estar de acordo com a natureza dos fenômenos compreendidos no conceito de sincronicidade em sentido estrito. Esses fenômenos são, em geral, casos isolados que não podem ser repetidos experimentalmente. Mas isto nem sempre é verdadeiro, como nos mostram os experimentos de Rhine e numerosas outras experiências com pessoas dotadas de clarividência. Estes fatos provam que nos casos individuais que não possuem um denominador comum e são denominados vulgarmente de "curiosidades" há certas regularidades e, por conseguinte, também fatores constantes, de onde devemos concluir que o conceito que temos de sincronicidade em sentido mais estrito é certamente por demais limitado e, por isto, precisa realmente ser ampliado. Eu me inclino, porém a admitir que a *sincronicidade em sentido mais estrito é apenas um caso especial de organização geral*, aquele da equivalência dos processos psíquicos e físicos onde o observador está em situação privilegiada de poder reconhecer o *tertium comparationis*. Mas logo que percebe o pano de fundo arquetípico, ele é tentado a atribuir a assimilação dos processos psíquicos e físicos independentes a um efeito (causal) do arquétipo, e assim, a ignorar o fato de que eles são meramente contingentes. Evitamos este perigo se considerarmos a sincronicidade como um caso especial de organização acausal geral. Deste modo evita-se também multiplicar desnecessariamente os princípios de explicação: *o arquétipo é a forma introspectivamente reconhecível da organização psíquica apriorística*. Se acrescentar a isto um processo sincronístico exterior, ele obedecerá ao mesmo esquema fundamental ou, em outras palavras, é organizado da mesma maneira. Esta forma de organização se distingue da organização das propriedades dos números inteiros ou das descontinuidades da Física pelo fato de que estas últimas existem desde toda a eternidade e se repetem regularmente, ao passo que os primeiros são *atos de criação no tempo*. Digamos de passagem que este é justamente o motivo profundo pelo qual insisti no fator tempo como característico destes fenômenos e chamei-os *sincronísticos*.

956   A descoberta da descontinuidade (por exemplo, da organização do quanto de energia, da desintegração radioativa etc.) pôs fim ao

domínio absoluto da causalidade e, consequentemente, também da tríade de princípios. O terreno perdido por esta última pertencera outrora à esfera da *correspondentia* e da *sympathia*, conceitos estes que alcançaram seu maior desenvolvimento na ideia da harmonia preestabelecida de Leibniz. Schopenhauer conhecia muito pouco as bases empíricas da ideia de correspondência, para tomar consciência do quanto sua tentativa de explicação causalista era sem esperança. Hoje em dia, graças aos experimentos em torno da ESP, gozamos da situação privilegiada de dispor de uma soma considerável de material empírico. Podemos formar uma ideia da confiabilidade destes fatos, se soubermos que os resultados, por exemplo, dos experimentos de S.G. Soal e de K.M. Goldeney em torno da ESP têm uma probabilidade de $1:10^{31}$, como acentua G.E. Hutchinson[147]. Estes 10^{31} equivalem ao número de moléculas contidas em 250.000 toneladas de água. No campo das Ciências naturais há relativamente poucos trabalhos experimentais cujos resultados atingem um grau quase tão alto de certeza. O ceticismo exagerado a respeito da ESP não é capaz de apresentar qualquer argumento satisfatório em seu apoio. Sua principal justificação é apenas a incerteza que hoje em dia infelizmente parece ser a companheira quase inevitável de toda especialização e priva indesejável e prejudicialmente o horizonte dos estudos especializados – em si já necessariamente limitado – de pontos de vista mais altos e mais amplos. Quantas vezes não vimos que as chamadas superstições contêm um núcleo de verdade que mereceria ser conhecido. É bem possível que não só o significado originariamente mágico da palavra alemã *wünschen* (desejar), que se conserva ainda na expressão *wünschelrute* (varinha de condão, vara mágica), e exprime não apenas o desejo, no sentido de anseio, aspiração, mas também uma ação (mágica)[148] e a crença tradicional na eficácia da oração te-

---

147. SOAL, S.G. "Science and Telepathy". *Enquiry*, 1/2, 1948, p. 5. Londres.

148. GRIMM, J. *Deutsche Mythologie*. 4. ed. Vol. I. Gütersloh: [s.e.], 1876-1877, p. 347. Os objetos de desejos são ferramentas mágicas forjadas por anões, como a lança Gûngnir de Odin, o martelo Miölnir de Tor e a espada de Freyr (II, p. 725). O desejo é *gotes kraft* [força divina]. "Got hât an sie den wunsch geleit und der wünschelruoten hort" (Deus dirigiu o desejo para ela e para o tesouro [achado pela] vara do desejo [vara de condão]). "Beschoenen mit Wunsches gewalte" [tornar belo com o poder do desejo] (III, p. 51 e 53). Em sânscrito o desejo é *manoratha*, literalmente = carro da mente ou da psique, isto é, desejo, fantasia (MACDONELL, A.A. *A Practical Sanskrit Dictionary*. Londres: [s.e.], 1924; cf. este vocábulo).

nham tido sua origem na experiência dos fenômenos sincronísticos concomitantes.

957   A sincronicidade não é mais enigmática nem mais misteriosa do que as descontinuidades da Física. É apenas nossa convicção arraigada do poder absoluto da causalidade que cria as dificuldades ao nosso entendimento e nos faz parecer que não existem nem podem existir acontecimentos acausais. Mas, se existem, devemos considerá-los como *atos de criação* no sentido de uma *creatio continua* (criação contínua)[149] de um modelo que se repete esporadicamente desde toda a eternidade, e não pode ser deduzido a partir de antecedentes conhecidos. Devemos, naturalmente, precaver-nos de imaginar qualquer acontecimento cuja causa seja desconhecida como não tendo causa. Isto – como já insisti – só é permitido naqueles casos em que é impensável uma causa. Mas o conceito de verossimilhança é daqueles que exigem a mais severa crítica. Se o átomo, por exemplo, tivesse correspondido à noção que a Filosofia tinha a seu respeito, sua divisibilidade seria impensável. Como, porém, verificou-se que se trata de

---

149. Por *creatio continua* (criação contínua) não se deve entender apenas uma série de sucessivos atos de criação, mas também a presença eterna de um só ato de criação, no sentido do *semper patrem fuisse, et genuisse verbum* [Deus foi sempre o Pai e gerou sempre o Filho] (ORÍGENES. *De principiis*, XI, 1, 2, 3) ou do *aeternus creator mentium* (eterno criador das mentes) (AGOSTINHO. *Confessiones*, lib. I, cap. II, 3). Deus está presente na sua criação: "Nec indiget operibus suis, tanquam in eis collocetur, ut maneat; sed in sua aeternitate persistit, in qua manens omnia quaecumque voluit fecit in coelis et in terra" ("Nem Ele tem necessidade de suas obras, como se Ele tivesse sido colocado nelas a fim de que aí permaneça; mas permanece em sua própria eternidade, na qual reside e criou tudo quanto lhe aprouve no céu e na terra") (AGOSTINHO. *Enarratio in Ps CXIII*). O que acontece sucessivamente no tempo é simultâneo na mente de Deus: "Mutabilium dispositionem immutabilis ratio continet ubi sine tempore simul sunt, quae in temporibus non simul sunt" (Uma ordem imutável mantém as coisas mutáveis unidas, e nesta ordem as coisas que não são simultâneas no tempo existem simultaneamente fora do tempo) (PRÓSPERO DE AQUITÂNIA. *Sententiae ex Augustino delibatae*, XLI): "Ordo temporum in aeterna Dei sapientia sine tempore est" (A sucessão temporal é sem tempo na eterna sabedoria de Deus) (op. cit., LVII). Antes da criação não havia tempo; o tempo só começa com as coisas criadas em movimento: "Potius ergo tempus a creatura, quam creatura coepit a tempore" (É preferível dizer que o tempo começou com a criatura do que afirmar que a criatura começou com o tempo) (op. cit., CCLXXX). "Non enim erat tempus ante tempus, tempus autem cum mundo concreatum est" (Não havia tempo antes do tempo; o tempo foi criado com o mundo) (ANÔNIMO. *De triplici habitaculo*, cap. V).

uma grandeza mensurável, sua indivisibilidade é impensável. As coincidências significativas são pensáveis como puro acaso. Mas, quanto mais elas se multiplicam, maior e mais exata é a concordância, tanto mais diminui sua probabilidade e mais aumenta sua impensabilidade, quer dizer, não se pode mais considerá-las como meros acasos, mas, por não terem explicação causal, devem ser vistas como simples arranjos que têm sentido. Sua "inexplicabilidade", como já frisei, não é devida meramente à ignorância de sua causa, mas ao fato de que nosso intelecto é incapaz de pensá-las com os meios de que dispõe atualmente. Isto acontece necessariamente quando o espaço e o tempo perdem seu significado, isto é, quando se tornam relativos, porque, em tais circunstâncias, a causalidade, que pressupõe o espaço e o tempo, torna-se quase impossível de ser determinada ou é simplesmente impensável.

Por estas razões me parece necessário introduzir, ao lado do espaço, do tempo e da causalidade, também uma categoria que nos possibilite caracterizar os fenômenos de sincronicidade como uma classe especial de acontecimentos naturais, mas considere também o contingente, de um lado, como um fator universal existente desde toda a eternidade e, do outro, como a soma de inumeráveis atos individuais de criação que acontecem no tempo.

958

A Sincronicidade[1]

Talvez fosse indicado começar minha exposição, definindo o conceito do qual ela trata. Mas eu gostaria mais de seguir o caminho inverso e vos dar primeiramente uma breve descrição dos fatos que devem ser entendidos sob a noção de sincronicidade. Como nos mostra sua etimologia, esse termo tem alguma coisa a ver com o tempo ou, para sermos mais exatos, com uma espécie de *simultaneidade*. Em vez de simultaneidade, poderíamos usar também o conceito de *coincidência significativa* de dois ou mais acontecimentos, em que se

959

---

1. (Publicado pela primeira vez no *Eranos-Jahrbuch* XX (1951). Tratava-se originariamente de uma conferência que o autor pronunciou perante o Círculo Eranos de 1951, em Ascona na Suíça).

trata de algo mais do que uma probabilidade de acasos. Casual é a ocorrência estatística – isto é, provável – de acontecimentos como a "duplicação de casos", por exemplo, conhecida nos hospitais. Grupos desta espécie podem ser constituídos de qualquer número de membros sem sair do âmbito da probabilidade e do racionalmente possível. Assim, pode ocorrer que alguém casualmente tenha a sua atenção despertada pelo número do bilhete do metrô ou do trem. Chegando à casa, ele recebe um telefonema e a pessoa do outro lado da linha diz um número igual ao do bilhete. À noite ele compra um bilhete de entrada para o teatro, contendo esse mesmo número. Os três acontecimentos formam um grupo casual que, embora não seja frequente, não excede os limites da probabilidade. Eu gostaria de vos falar do seguinte grupo casual, tomado de minha experiência pessoal e constituído de não menos de seis termos:

960   Na manhã do dia primeiro de abril de 1949 eu transcrevera uma inscrição referente a uma figura que era metade homem, metade peixe. No almoço houve peixe. Alguém nos lembrou o costume do "Peixe de Abril" (primeiro de abril). De tarde, uma antiga paciente minha, que eu já não via por vários meses, mostrou-me algumas figuras impressionantes de peixe. À noite, alguém me mostrou uma peça de bordado, representando um monstro marinho. Na manhã seguinte, bem cedo, eu vi outra antiga paciente, que veio me visitar pela primeira vez depois de dez anos. Na noite anterior ela sonhara com um grande peixe. Alguns meses depois, ao empregar esta série em um trabalho maior, e tendo encerrado justamente a sua redação, eu me dirigi a um local à beira do lago, em frente à minha casa, onde já estivera diversas vezes, naquela mesma manhã. Desta vez encontrei um peixe morto, mais ou menos de um pé de comprimento (cerca de 30cm), sobre a amurada do lago. Como ninguém pôde estar lá, não tenho ideia de como o peixe foi parar ali.

961   Quando as coincidências se acumulam desta forma, é impossível que não fiquemos impressionados com isto, pois, quanto maior é o número dos termos de uma série desta espécie, e quanto mais extraordinário é o seu caráter, tanto menos provável ela se torna. Por certas ra-

zões que mencionei em outra parte e que não quero discutir aqui, admito que se trate de um grupo casual. Mas também devo reconhecer que é mais improvável do que, por exemplo, uma mera duplicação.

No caso do bilhete do metrô, acima mencionado, eu disse que o observador percebeu "casualmente" o número e o gravou na memória, o que, ordinariamente, ele jamais fazia. Isto nos forneceu os elementos para concluir que se trata de uma série de acasos, mas ignoro o que o levou a fixar a sua atenção nos números. Parece-me que um fator de incerteza entra no julgamento de uma série desta natureza e reclama certa atenção. Observei coisa semelhante em outros casos, sem, contudo, ser capaz de tirar as conclusões que mereçam fé. Entretanto, às vezes é difícil evitar a impressão de que há uma espécie de precognição de acontecimentos futuros. Este sentimento se torna irresistível nos casos em que, como acontece mais ou menos frequentemente, temos a impressão de nos encontrar com um velho conhecido, mas para nosso desapontamento logo verificamos que se trata de um estranho. Então vamos até a esquina próxima e topamos com o próprio em pessoa. Casos desta natureza acontecem de todas as formas possíveis e com bastante frequência, mas geralmente bem depressa nos esquecemos deles, passados os primeiros momentos de espanto.

Ora, quanto mais se acumulam os detalhes previstos de um acontecimento, tanto mais clara é a impressão de que há uma precognição e por isto tanto mais improvável se torna o acaso. Lembro-me da história de um amigo estudante ao qual o pai prometera uma viagem à Espanha, se passasse satisfatoriamente nos exames finais. Este meu amigo sonhou então que estava andando em uma cidade espanhola. A rua conduzia a uma praça onde havia uma catedral gótica. Assim que chegou lá, dobrou a esquina, à direita, entrando noutra rua. Aí ele encontrou uma carruagem elegante, puxada por dois cavalos baios. Nesse momento ele despertou. Contou-nos ele o sonho enquanto estávamos sentados em torno de uma mesa de bar. Pouco depois, tendo sido bem-sucedido nos exames, viajou à Espanha e aí, em uma das ruas, reconheceu a cidade de seu sonho. Encontrou a praça e viu a igreja, que correspondia exatamente à imagem que vira no sonho. Primeiramente, ele queria ir diretamente à igreja, mas se lembrou de

962

963

que, no sonho, ele dobrava a esquina, à direita, entrando noutra rua. Estava curioso por verificar se seu sonho seria confirmado outra vez. Mal tinha dobrado a esquina, quando viu, na realidade, a carruagem com os dois cavalos baios.

964   O sentimento do *déjà-vu* (sensação do já visto) baseia-se, como tive oportunidade de verificar em numerosos casos, em uma precognição do sonho, mas vimos que esta precognição ocorre também no estado de vigília. Nestes casos, o puro acaso se torna extremamente improvável, porque a coincidência é conhecida de antemão. Deste modo, ela perde seu caráter casual não só psicológica e subjetivamente, mas também objetivamente, porque a acumulação dos detalhes coincidentes aumenta desmedidamente a improbabilidade (Dariex e Flammarion calcularam as probabilidades de 1:4 milhões a 1:800 milhões para mortes corretamente previstas). Por isto, em tais casos seria inadequado falar de "acasos". Do contrário, trata-se de coincidências significativas. Comumente os casos deste gênero são explicados pela precognição, isto é, pelo conhecimento prévio. Também se fala de clarividência, de telepatia etc., sem, contudo, saber-se explicar em que consistem estas faculdades ou que meio de transmissão elas empregam para tornar acontecimentos distantes no espaço e no tempo acessíveis à nossa percepção. Todas estas ideias são meros *nomina* (nomes); não são conceitos científicos que possam ser considerados como afirmações de princípio. Até hoje ninguém conseguiu construir uma ponte causal entre os elementos constitutivos de uma coincidência significativa.

965   Coube a J. B. Rhine o grande mérito de haver estabelecido bases confiáveis para o trabalho no vasto campo destes fenômenos, com seus experimentos sobre a ESP (*extra-sensory-perception*). Ele usou um baralho de vinte e cinco cartas, divididas em cinco grupos de cinco, cada um dos quais com um desenho próprio (estrela, retângulo, círculo, cruz, duas linhas onduladas). A experiência era efetuada da seguinte maneira: em cada série de experimentos retiravam-se aleatoriamente as cartas do baralho, 800 vezes seguidas, mas de modo que o sujeito (ou pessoa testada) não pudesse ver as cartas que iam sendo retiradas. Sua tarefa era adivinhar o desenho de cada uma das cartas retiradas. A probabilidade de acerto é de 1:5. O resultado mé-

dio obtido com um número muito grande de cartas foi de 6,5 acertos. A probabilidade de um desvio casual de 1,5 é só de 1:250.000. Alguns indivíduos alcançaram o dobro ou mais de acertos. Uma vez, todas as 25 cartas foram adivinhadas corretamente em nova série, o que dá uma probabilidade de 1:289.023.223.876.953.125. A distância espacial entre o experimentador e a pessoa testada foi aumentada de uns poucos metros até 4.000 léguas, sem afetar o resultado.

Uma segunda forma de experimentação consistia no seguinte: mandava-se o sujeito adivinhar previamente a carta que iria ser retirada no futuro próximo ou distante. A distância no tempo foi aumentada de alguns minutos até duas semanas. O resultado desta experiência apresentou uma probabilidade de 1:400.000.

Numa terceira forma de experimentação o sujeito deveria procurar influenciar a movimentação de dados lançados por um mecanismo, escolhendo um determinado número. Os resultados deste experimento, dito *psicocinético* (PK, de *psycho-kinesis*), foram tanto mais positivos, quanto maior era o número de dados que se usavam de cada vez.

O experimento espacial mostra com bastante certeza que a psique pode eliminar o fator espaço até certo ponto. A experimentação com o tempo nos mostra que o fator tempo (pelo menos na dimensão do futuro) pode ser relativizado psiquicamente. A experimentação com os dados nos indica que os corpos em movimento podem ser influenciados também psiquicamente, como se pode prever a partir da relatividade psíquica do espaço e do tempo.

O postulado da energia é inaplicável no experimento de Rhine. Isto exclui a ideia de transmissão de força. Também não se aplica a lei da causalidade, circunstância esta que eu indicara há trinta anos. Com efeito, é impossível imaginar como um acontecimento futuro seja capaz de influir num outro acontecimento já no presente. Como atualmente é impossível qualquer explicação causal, forçoso é admitir, a título provisório, que houve acasos improváveis ou *coincidências significativas* de natureza acausal.

Uma das condições deste resultado notável que é preciso levar em conta é o fato descoberto por Rhine: as primeiras séries de experiência apresentam sempre resultados melhores do que as posteriores. A diminuição dos números de acerto está ligada às disposições do sujeito da experimentação. As disposições iniciais de um sujeito crente e otimista ocasionam bons resultados. O ceticismo e a resistência produzem o contrário, isto é, criam disposições desfavoráveis no sujeito. Como o ponto de vista energético é praticamente inaplicável nestes experimentos, a única importância do fator *afetivo* reside no fato de ele ser uma das *condições* com base nas quais o fenômeno *pode*, mas não *deve* acontecer. Contudo, de acordo com os resultados obtidos por Rhine, podemos esperar 6,5 acertos em vez de apenas 5. Todavia, é impossível prever quando haverá acerto. Se isto fosse possível, estaríamos diante de uma lei, o que contraria totalmente a natureza do fenômeno, que tem as características de um acaso improvável cuja frequência é mais ou menos provável e geralmente depende de algum estado afetivo.

971   Esta observação, que foi sempre confirmada, mostra-nos que o fator psíquico que modifica ou elimina os princípios da explicação física do mundo está ligado à afetividade do sujeito da experimentação. Embora a fenomenologia do experimento da ESP e da PK possa enriquecer-se notavelmente com outras experiências do tipo apresentado esquematicamente acima, uma pesquisa mais profunda das bases teria necessariamente de se ocupar com a natureza da afetividade. Por isto, eu concentrei minha atenção sobre certas observações e experiências que, posso muito bem dizê-lo, impuseram-se com frequência no decurso de minha já longa atividade de médico. Elas se referem a coincidências significativas espontâneas de alto grau de improbabilidade e que consequentemente parecem inacreditáveis. Por isto, eu gostaria de vos descrever um caso desta natureza, para dar um exemplo que é característico de toda uma categoria de fenômenos. Pouco importa se vos recusais a acreditar em um único caso ou se tendes uma explicação qualquer para ele. Eu poderia também vos apresentar uma série de histórias como esta que, em princípio, não são mais estranhas ou menos dignas de crédito do que os resultados irrefutáveis de Rhine, e não demoraríeis a ver que cada caso exige uma explicação própria. Mas a explicação causal, cientificamente possível, fracassa por causa da relativização psíquica do espaço e do tempo, que são duas condições absolutamente indispensáveis para que haja conexão entre a causa e o efeito.

O exemplo que vos proponho é o de uma jovem paciente que se mostrava inacessível, psicologicamente falando, apesar das tentativas de parte a parte neste sentido. A dificuldade residia no fato de ela pretender saber sempre melhor as coisas do que os outros. Sua excelente formação lhe fornecia uma arma adequada para isto, a saber, um racionalismo cartesiano aguçadíssimo, acompanhado de uma concepção geometricamente impecável da realidade. Após algumas tentativas de atenuar o seu racionalismo com um pensamento mais humano, tive de me limitar à esperança de que algo inesperado e irracional acontecesse, algo que fosse capaz de despedaçar a retorta intelectual em que ela se encerrara. Assim, certo dia eu estava sentado diante dela, de costas para a janela, a fim de escutar a sua torrente de eloquência. Na noite anterior ela havia tido um sonho impressionante no qual alguém lhe dava um escaravelho de ouro (uma joia preciosa) de presente. Enquanto ela me contava o sonho, eu ouvi que alguma coisa batia de leve na janela, por trás de mim. Voltei-me e vi que se tratava de um inseto alado de certo tamanho, que se chocou com a vidraça, pelo lado de fora, evidentemente com a intenção de entrar no aposento escuro. Isto me pareceu estranho. Abri imediatamente a janela e apanhei o animalzinho em pleno voo, no ar. Era um *escarabeídeo*, da espécie da *Cetonia aurata*, o besouro-rosa comum, cuja cor verde-dourada torna-o muito semelhante a um escaravelho de ouro. Estendi-lhe o besouro, dizendo-lhe: "Está aqui o seu escaravelho". Este acontecimento abriu a brecha desejada no seu racionalismo, e com isto rompeu-se o gelo de sua resistência intelectual. O tratamento pôde então ser conduzido com êxito.

972

Esta história destina-se apenas a servir de paradigma para os casos inumeráveis de coincidência significativa observados não somente por mim, mas por muitos outros e registrados parcialmente em grandes coleções. Elas incluem tudo o que figura sob os nomes de clarividência, telepatia etc., desde a visão, significativamente atestada, do grande incêndio de Estocolmo, tida por Swedenborg, até os relatos mais recentes do marechal-do-ar Sir Victor Goddard a respeito do sonho de um oficial desconhecido, que previra o desastre subsequente do avião de Goddard.

973

974   Todos os fenômenos a que me referi podem ser agrupados em três categorias:

1. Coincidência de um estado psíquico do observador com um acontecimento objetivo externo e simultâneo, que corresponde ao estado ou conteúdo psíquico (por exemplo, o escaravelho), onde não há nenhuma evidência de uma conexão causal entre o estado psíquico e o acontecimento externo e onde, considerando-se a relativização psíquica do espaço e do tempo, acima constatada, tal conexão é simplesmente inconcebível.

2. Coincidência de um estado psíquico com um acontecimento exterior correspondente (mais ou menos simultâneo), que tem lugar fora do campo de percepção do observador, ou seja, especialmente distante, e só se pode verificar posteriormente (como, por exemplo, o incêndio de Estocolmo).

3. Coincidência de um estado psíquico com um acontecimento futuro, portanto, distante no tempo e ainda não presente, e que só pode ser verificado também posteriormente.

975   Nos casos dois e três, os acontecimentos coincidentes ainda não estão presentes no campo de percepção do observador, mas foram antecipados no tempo, na medida em que só podem ser verificados posteriormente. Por este motivo, digo que semelhantes acontecimentos são *sincronísticos*, o que não deve ser confundido com "*sincrônicos*".

976   Esta visão de conjunto deste vasto campo de observação seria incompleta, se não considerássemos aqui também os chamados *métodos mânticos*. O manticismo tem a pretensão, senão de produzir realmente acontecimentos sincronísticos, pelo menos de fazê-los servir a seus objetivos. Um exemplo bem ilustrativo neste sentido é o método oracular do *I Ging* que o Dr. Helmut Wilhelm descreveu detalhadamente neste encontro. O I Ging pressupõe que há uma correspondência sincronística entre o estado psíquico do interrogador e o hexagrama que responde. O hexagrama é formado, seja pela divisão puramente aleatória de 49 varinhas de milefólio, seja pelo lançamento igualmente aleatório de três moedas. O resultado deste método é incontestavelmente muito interessante, mas, até onde posso ver, não proporciona um instrumento adequado para uma determinação ob-

jetiva dos fatos, isto é, para avaliação estatística, porque o estado psíquico em questão é demasiadamente indeterminado e indefinível. O mesmo se pode dizer do *experimento geomântico*, que se baseia sobre princípios similares.

Estamos numa situação um pouco mais favorável quando nos voltamos para o método *astrológico*, que pressupõe uma "coincidência significativa" de aspectos e posições planetárias com o caráter e o estado psíquico ocasional do interrogador. À luz das pesquisas astrofísicas recentes, a correspondência astrológica provavelmente não é um caso de sincronicidade, mas, em sua maior parte, uma relação causal. Como o Prof. Knoll demonstrou neste encontro, a irradiação dos prótons solares é de tal modo influenciada pelas conjunções, oposições e aspectos quartis dos aspectos que se pode prever o aparecimento de tempestades magnéticas com grande margem de probabilidade. Podem-se estabelecer relações entre a curva das perturbações magnéticas da terra e a taxa de mortalidade – relações que fortalecem a influência desfavorável de ☌, ☍ e □ (aspectos quartis) e as influências favoráveis de dois aspectos trígonos e sextis. Assim é provável que se trate aqui de uma relação causal, isto é, de uma lei natural que exclua ou limite a sincronicidade. Ao mesmo tempo, porém, a qualificação zodiacal das casas, que desempenha um papel no horóscopo, cria uma complicação, dado que o Zodíaco astrológico coincide com o do calendário, mas não com as constelações do Zodíaco real ou astronômico. Estas constelações deslocaram-se consideravelmente de sua posição inicial em cerca de um mês platônico quase completo, em consequência da precessão dos equinócios desde a época do $0°$ ♈ (ponto zero de Áries) (em começos de nossa era). Por isto, quem nascer hoje, em Áries, de acordo com o calendário astronômico, na realidade nasceu em Pisces. Seu nascimento teve lugar simplesmente em uma época que hoje (há cerca de 2.000 anos) chama-se "Áries". A Astrologia pressupõe que este tempo possui uma qualidade determinante. É possível que esta qualidade esteja ligada, como as perturbações magnéticas da Terra, às grandes flutuações sazonais às quais se acham sujeitas as irradiações dos prótons solares. Isto não exclui a possibilidade de as posições zodiacais representarem um fator causal.

Embora a interpretação psicológica dos horóscopos seja uma matéria ainda muito incerta, contudo, atualmente há a perspectiva de uma possível explicação causal, em conformidade, portanto, com a lei natural. Por conseguinte, não há mais justificativa para descrever a Astrologia como um método mântico. Ela está em vias de se tornar uma Ciência. Como, porém, ainda existem grandes áreas de incerteza, de há muito resolvi realizar um teste, para ver de que modo uma tradição astrológica se comportaria diante de uma investigação estatística. Para isto, foi preciso escolher um fato bem definido e indiscutível. Minha escolha recaiu no *casamento*. Desde a antiguidade a crença tradicional a respeito do casamento é que este é favorecido por uma conjunção entre o Sol e a Lua no horóscopo dos casais, isto é, ☉ com uma órbita de 8° em um dos parceiros, e em ☌ com ☾ no outro parceiro. Uma segunda tradição, igualmente antiga, considera ☾ ☌ ☾ também como uma característica do casamento. De importância são as conjunções dos ascendentes com os grandes luminares.

979   Juntamente com minha colaboradora, a Dra. L. Frey-Rohn, primeiramente procedi à coleta de 180 casamentos, ou 360 horóscopos individuais[2], e comparamos os 50 aspectos astrológicos mais importantes neles contidos e que poderiam caracterizar um casamento, isto é, as ☌ (conjunções) e ☍ (oposições) entre ☉ (Sol), ☾ (Lua), ♂ (Marte), ♀ (Vênus), asc. e desc. O resultado obtido foi um máximo de 10% em, ☉ ☌ ☾. Como me informou o Prof. Markus Fierz, que gentilmente se deu ao trabalho de calcular a probabilidade de meu resultado, meu número tem a probabilidade de cerca de 1:10.000. A opinião de vários físicos matemáticos consultados a respeito do significado deste número é dividida: alguns acham-na considerável, outros acham-na questionável. Nosso número parece duvidoso, na medida em que a quantidade de 360 horóscopos é realmente muito pequena, do ponto de vista da estatística.

980   Enquanto analisávamos estatisticamente os aspectos dos 180 casamentos, esta nossa coleção se ampliava com novos horóscopos, e quando havíamos reunido mais 220 casamentos, esse novo "pacote" foi submetido a uma investigação em separado. Como da primeira vez, agora também o material era avaliado justamente da maneira

---

2. O material aqui recolhido provém de diversas fontes. Trata-se de horóscopos de pessoas casadas. Não se fez nenhuma seleção. Utilizamos indiscriminadamente todos os horóscopos de que pudemos lançar mão.

como chegava. Não era selecionado segundo um determinado ponto de vista, e foi colhido nas mais diversas fontes. A avaliação do segundo "pacote" produziu um máximo de 10,9% para ☾ ☌ ☾. A probabilidade deste número é também aproximadamente de 1:10.000.

Por fim, foram acrescentados mais 83 casamentos, a seguir estudados também separadamente. O resultado foi de um máximo de 9,6% para ☾ ☌ ascendente. A probabilidade deste número é aproximadamente de 1:3.000.

Um fato que logo nos chama atenção é que as conjunções são todas *conjunções lunares*, o que está de acordo com as expectativas astrológicas. Mas estranho é que aquilo que logo se destaca aqui são as três posições fundamentais do horóscopo, a saber: ☉, ☾ e o ascendente. A probabilidade de uma coincidência de ☉ ☌ ☾ com ☾ ☌ ☾ é de 1:100 milhões. A coincidência das três conjunções lunares com ☉, ☾ e asc. tem uma probabilidade de $1:3 \times 10^{11}$; em outros termos: a improbabilidade de um mero acaso para esta coincidência é tão grande, que nos vemos forçados a considerar a existência de um fator responsável por ela. Como os três "pacotes" eram muito pequenos, as probabilidades respectivas de 1:10.000 e 1:3.000 dificilmente terão alguma importância teórica. Sua coincidência, porém, é tão improvável, que se torna impossível não admitir a presença de uma necessidade que produziu este resultado.

Não se pode responsabilizar a possibilidade de uma conexão cientificamente válida entre os dados astrológicos e a irradiação dos prótons por este fato, pois as probabilidades individuais de 1:10.000 e 1:3.000 são demasiado grandes, para que se possa considerar nosso resultado, com certo grau de certeza, como meramente casual. Além disto, os máximos tendem a se nivelar, quando aumenta o número de casamentos com a adição de novos pacotes. Seria preciso centenas de milhares de horóscopos de casamentos para se determinar uma possível regularidade estatística de acontecimentos tais como as conjunções do Sol, da Lua e dos ascendentes, e, mesmo neste caso, o resultado seria ainda questionável. Entretanto, o fato de que aconteça algo de tão improvável quanto a coincidência das três conjunções clássicas só pode ser explicado ou como o resultado de uma fraude, intencional ou não, ou mais precisamente como uma coincidência significativa, isto é, como sincronicidade.

984   Embora mais acima eu tenha sido levado a fazer reparos quanto ao caráter mântico da Astrologia, agora sou obrigado a reconhecer que ela tem este caráter, tendo em vista os resultados a que chegou meu experimento astrológico. O arranjo aleatório dos horóscopos matrimoniais colocados seguidamente uns sobre os outros na ordem que nos chegavam das diversas fontes, bem como a maneira igualmente aleatória com que foram divididos em três pacotes desiguais, correspondia às expectativas otimistas do pesquisador e produziram um quadro geral melhor do que se poderia desejar, do ponto de vista da hipótese astrológica. O êxito do experimento está inteiramente de acordo com os resultados da ESP de Rhine, que foram favoravelmente influenciados pelas expectativas, pela esperança e pela fé. Mas não havia uma expectativa definida com referência a qualquer resultado. A escolha de nossos 50 aspectos já é uma prova disto. Depois do resultado do primeiro pacote havia certa esperança de que a ☉ ♂ ☾ se confirmasse. Mas esta expectativa frustrou-se. Na segunda vez, formamos um pacote maior com os horóscopos acrescentados antes, a fim de aumentar a certeza. Mas o resultado foi a ☾ ♂ ☾. Com o terceiro pacote havia apenas leve esperança de que a ☾ ♂ ☾ se confirmasse, o que também, mais uma vez, não ocorreu.

985   O que aconteceu aqui foi reconhecidamente uma curiosidade, aparentemente uma coincidência significativa singular. Se alguém se impressionasse com esta coincidência, poderíamos chamá-lo de pequeno milagre. Hoje, porém, temos de considerar a noção de milagre sob uma ótica diferente daquela a que estávamos habituados. Com efeito, os experimentos de Rhine nos mostraram, nesse meio-tempo, que o espaço e o tempo, e consequentemente também a causalidade, são fatores que se podem eliminar e, portanto, os fenômenos acausais ou os chamados milagres, parecem possíveis. Todos os fenômenos naturais desta espécie são combinações singulares extremamente curiosas de acasos, unidas entre si pelo sentido comum de suas partes e resultando em um todo inconfundível. Embora as coincidências significativas sejam infinitamente diversificadas quanto à sua fenomenologia, contudo, como fenômenos acausais, elas constituem um elemento que faz parte da imagem científica do mundo. A causalidade é a maneira pela qual concebemos a ligação entre dois acontecimentos sucessivos. A sincronicidade designa o paralelismo de espaço e de sig-

nificado dos acontecimentos psíquicos e psicofísicos, que nosso conhecimento científico até hoje não foi capaz de reduzir a um princípio comum. O termo em si nada explica; expressa apenas a presença de coincidências significativas, que, em si, são acontecimentos casuais, mas tão improváveis, que temos de admitir que se baseiam em algum princípio ou em alguma propriedade do objeto empírico. Em princípio, é impossível descobrir uma conexão causal recíproca entre os acontecimentos paralelos, e é justamente isto que lhes confere o seu caráter casual. A única ligação reconhecível e demonstrável entre eles é o *significado comum* (ou uma equivalência). A antiga teoria da correspondência se baseava na experiência de tais conexões – teoria esta que atingiu o seu ponto culminante e também o seu fim temporário na ideia da harmonia preestabelecida de Leibniz, e foi a seguir substituída pela doutrina da causalidade. A sincronicidade é uma diferenciação moderna dos conceitos obsoletos de correspondência, simpatia e harmonia. Ela se baseia, não em pressupostos filosóficos, mas na experiência concreta e na experimentação.

Os fenômenos sincronísticos são a prova da presença simultânea de equivalências significativas em processos heterogêneos sem ligação causal; em outros termos, eles provam que um conteúdo percebido pelo observador pode ser representado, ao mesmo tempo, por um acontecimento exterior, *sem nenhuma conexão* causal. Daí se conclui: ou que a psique não pode ser localizada espacialmente, ou que o espaço é psiquicamente relativo. O mesmo vale para a determinação temporal da psique ou a relatividade do tempo. Não é preciso enfatizar que a constelação deste fato tem consequências de longo alcance. 986

Infelizmente, no curto espaço de uma conferência não me é possível tratar do vasto problema da sincronicidade, senão de maneira um tanto corrida. Para aqueles dentre vós que desejam se informar mais detalhadamente sobre esta questão, comunico-vos que, muito em breve, aparecerá uma obra minha mais extensa, sob o título de *Sincronicidade como princípio de conexões acausais*. Será publicada juntamente com a obra do Prof. W. Pauli, num volume denominado *Naturerklärung und Psyche*. 987

[A partir do parágrafo 871 a edição inglesa deste volume traz uma numeração diferente da original alemã, com um número maior de parágrafos].

Referências

ABEGG, L. *Ostasien denkt anders*: Versuch einer Analyse des westöstlichen Gegensatzes. Zurique: Atlantis V., 1949.

AGOSTINHO. Confessiones. In: MIGNE, J.P. (org.). *Patrologia Latina*. XXXII, col. 784s.

_____. *Enarratio in psalmum CXIII*, 14. Edição dos Maurinos IV, col. 1796b; MIGNE, J.P. (org.). *Patrologia Latina*. XXXVII, col. 1480.

AGRIPPA VON NETTESHEIM, H.C. *De occulta philosophia* libri tres. Colônia: [s.e.], 1533.

ALBERTO MAGNO. *De mirabilibus mundi*. Incunábulos da Biblioteca Central de Zurique [s.d.]; também: Colônia: [s.e.], impressão 1485.

ANÔNIMO. *De triplici habitaculo liber unus*. Edição dos Maurinos VI, col. 1448; MIGNE, J.P. (org.). *Patrologia Latina*. XL, col. 991-998.

BÖHME, J. *De signatura rerum*: Das ist: Von der Gebuhrt und Bezeichnung aller Wesen. Amsterdã: [s.e.], 1682.

CARDANO, J. Commentaria in Ptolomaeum De astrorum iudiciis. In: *Opera omnia V*. Lion: [s.e.], 1663.

DAHNS, F. "Das Schwärmen des Palolo". *Der Naturforscher*, VIII/11, 1932. Lichterfelde.

DALCQ, A.-M. "La Morphogénèse dans le cadre de la biologie générale". *Verhandlungen der Schweiz*. Naturforschenden Gesellschaft, 129. Jahresversammlung: Aarau, 1949, p. 37-72.

DARIEX, X. "Le Hasard et la télépathie". *Annales des sciences psychiques*, I, 1891, p. 295-304. Paris.

DIETERICH, A. *Eine Mithrasliturgie*. 2. ed. Lípsia/Berlim: [s.e.], 1910.

DREWS, A. *Plotin und der Untergang der antiken Weltanschauung*. Jena: [s.e.], 1907.

DRIESCH, H. *Die "Seele" als elementarer Naturfaktor.* Studien über die Bewegungen der Organismen. Lípsia: [s.e.], 1903.

DSCHUANG-DSI. *Das wahre Buch vom südlichen Blütenland.* Jena: Diederichs V., 1920.

DUNNE, J.W. *An Experiment with Time.* Londres: A. & C. Black, 1927.

ECKERMANN, J.P. *Gespräche mit Goethe in den letzten Jahren seines Lebens.* Lípsia: Insel V. 1932.

FICINO, M. *Auctores Platonici.* Veneza: [s.e.], 1497.

FIERZ, M. "Zur physikalischen Erkenntnis". *Eranos Jahrbuch*, XVI (1948). 1949, p. 433-460. Zurique.

FILO JUDEU [DE ALEXANDRIA]. *De opificio mundi*: Opera I. Berlim: [s.e.], 1891 [Org. por Leopold Cohn].

FLAMBART, P. *Preuves et bases de l'astrologie scientifique.* Paris: [s.e.], 1921.

FLAMMARION, C. *L'Inconnu et les problèmes psychiques.* Paris: [s.e.], 1900.

FLUDD, R. Animae intellectualis scientia seu De geomantia. *Fasciculus geomanticus, in quo varia variorum opera geomantica.* 1687. Verona.

FRANZ, M.-L. von. *Die Parabel von der Fontina des Grafen von Tarvis.* Manuscrito.

_____. Die Passio Perpetuae. In: JUNG, C.G. *Aion.* Zurique: Rascher V., 1951.

FRISCH, K. von. *Aus dem Leben der Bienen.* 4. ed. Berlim: Julius Springer V., 1948.

GEULINCX, A. *Opera philosophica.* 3 vols. Haia: [s.e.], 1891-1899.

GRANET, M. *La Pensée chinoise.* Paris: Albin Michel, 1934.

GRIMM, J. *Deutsche Mythologie.* 4. ed. 3 vols. Gütersloh: [s.e.], 1876-1877.

GURNEY, E.; MYERS, F.W.H. & PODMORE, F. *Phantasms of the Living.* 2 vols. Londres: [s.e.], 1886.

HARDY, A.C. "The Scientific Evidence for Extra-Sensory Perception". *Discovery*, X, 1949, p. 328. Londres.

HIPÓCRATES. *De alimento*: Corpus Medicorum Graecorum I/1. Lípsia: [s.e.], 1927 [Org. por Heiberg].

ISIDORO DE SEVILHA. *Liber etymologiarum*. Basileia: [s.e.], 1489 [?].

JAFFÉ, A. "Bilder und Symbole aus E. T. A. Hoffmanns Märchen 'Der Goldene Topf'". *Gestaltungen des Unbewussten* (Psychologische Abhandlungen VII). Zurique: Rascher V., 1950.

JANTZ, H. & BERINGER, K. "Das Syndrom des Schwebeerlebnisses unmittelbar nach Kopfverletzungen". *Der Nervenarzt*, XVII, 1944, p. 197-206. Berlim.

JEANS, J. *Physik und Philosophie*. Zurique: Rascher V., 1944.

JUNG, C.G. *Psychologie und Alchemie*. Zurique: Rascher V., 1944. Nova edição 1952 [OC, 12] [Psychologische Abhandlungen V].

_____. Der Geist der Psychologie. *Eranos Jahrbuch*, XIV (1946). Zurique: Rhein V., 1947.

_____. *Symbolik des Geistes. Studien über psychische Phänomenologie*. Zurique: Rascher V., 1948. Nova tiragem 1953 [OC, 9/1, 11 (1963) e 13] [Psychologische Abhandlungen VI].

_____. *Gestaltungen des Unbewussten*. Zurique: Rascher V., 1950. [Zur Empirie des Individuationsprozesses e Über Mandalasymbolik [OC, 9/1] [Psychologische Abhandlungen VII].

JUNG, C.G. & PAULI, W. *Naturerklärung und Psyche* (Studien aus dem C. G. Jung Institut IV). Zurique: Rascher V., 1952. [Contribuição de Jung neste volume (seção XVIII)].

JUNG, C.G. & WILHELM, R. *Das Geheimnis der Goldenen Blüte*. Munique: Dorn V., 1929. Nova edição Zurique: Rascher V., 1938. Novas tiragens 1939, 1944, 1948 e 1957. [Contribuição de Jung em: OC, 13 e 15].

KAMMERER, P. *Das Gesetz der Serie*. Stuttgart/Berlim: [s.e.], 1919.

KANT, I. *Träume eines Geistersehers, erläutert durch Träume der Metaphysik*. Obras II. Berlim: Bruno Cassirer V., 1912 [Org. por Ernst Cassirer].

KEPLER, J. Tertius interveniens. *Opera omnia* I [também II, V e VI]. Frankfurt/Erlangen 1858-1871 [Org. por Ch. Frisch 8 vols.].

KLÖCKLER, H. von. *Astrologie als Erfahrungswissenschaft*. Lípsia: Reinicke V., 1927.

KNOLL, M. "Wandlungen der Wissenschaft in unserer Zeit". *Eranos Jahrbuch* XX (1951). Zurique: Rhein V., 1952.

KRAFFT, K.E. *Traité d'astro-biologie*. Paris-Lausanne. Bruxelas: Edição do Autor, 1939.

KRÄMER, A.F. *Über den Bau der Korallenriffe.* Kiel/Lípsia: [s.e.], 1897.

KRONECKER, L. *Über den Zahlbegriff.* Obras III/1. Lípsia: [s.e.], 1899.

LEIBNIZ, G.W. *Kleinere philosophische Schriften.* Reclam. Lípsia: [s.e.], 1883.

_____. *Die Theodicee.* 2 vols. Reclam. Lípsia: [s.e.], 1884. 2 v.

LONG, C.E. (org.). *Collected Papers on Analytical Psychology.* Londres: Baillère, Tindall and Cox, 1916 [OC, 1, 2, 3, 4 e 6].

McCONNELL, R.A. "E.S.P. – Fact or Fancy?" *The Scientific Monthly LXIX*, 1949. Lancaster, Pensilvânia.

MACDONELL, A.A. *A Practical Sanskrit Dictionary.* Londres: [s.e.], 1924.

MEIER, C.A. *Zeitgemässe Probleme der Traumforschung*: ETH, Kultur und Staatswissenschaftliche Schriften Nr. 75. Zurique: Polygraphischer V., 1950.

MYERS, F.W.H. "The Subliminal Consciousness". *Proceedings of the Society for Psychical Research*, VII, 1892, p. 298-355. Londres.

ORÍGENES. De principiis. *Opera omnia.* Edição dos Maurinos I.

PICO DELLA MIRANDOLA, Giovanni: Heptaplus. *Opera omnia.* Basileia: [s.e.], 1557.

PRATT, J.G. et al. *Extra-Sensory Perception after Sixty Years.* Nova York: [s.e.], 1940.

PRÓSPERO DE AQUITÂNIA. *Sententiae ex Augustino delibatae.* Edição dos Maurinos X, col. 2566; MIGNE, J.P. *Patrologia Latina.* LI, col. 435 e 468.

RHINE, J.B. "An Introduction to the Work of Extra-Sensory Perception". *Transactions of the New York Academy of Sciences*, series II, XII, 1950, p. 164-168. Nova York.

_____. *Extra-Sensory Perception.* Boston: Boston Society for Psychic Research, 1934.

_____. *The Reach of the Mind.* Londres: Faber & Faber, 1948.

RHINE, J.B. & HUMPHREY, B.M. "A Transoceanic ESP Experiment". *Journal of Parapsychology*, VI, 1942, p. 52-74. Durham, Carolina do Norte.

RICHET, C. "Relations de diverses expériences sur transmission mentale, la lucidité, et autres phénomènes non explicables par les données scientifiques actuelles". *Proceedings of the Society for Psychical Research.* V, 1888, p. 18-168. Londres.

ROSENBERG, A. *Zeichen am Himmel*: Das Weltbild der Astrologie. Zurique: Metz V., 1949.

SCHMIEDLER, G.R. "Personality Correlates of ESP as Shown by Rorschach Studies". *Journal of Parapsychology*, XIII, 1949, p. 23-31. Durham, Carolina do Norte.

SCHOLZ, W. von. *Der Zufall*: eine Vorform des Schicksals. Stuttgart: [s.e.], 1924.

SCHOPENHAUER, A. *Parerga und Paralipomena*: Kleine philosophische Schriften. 2 vols. Berlim: [s.e.], 1891 [Org. por R. von Koeber].

SILBERER, H. *Probleme der Mystik und ihrer Symbolik*. Viena/Leipzig: [s.e.], 1914. Nova tiragem, 1961.

_____. *Der Zufall und die Koboldstreiche des Unbewussten*. Berna/Lípsia: Schriften zur Seelenkunde und Erziehungskunst III, 1921.

SINÉSIO DE CIRENE. *Opuscula*. Roma: Regia Officina Polygraphica, 1914 [Org. por Nicolau Terzaghi].

SOAL, S.G. "Science and Telepathy". *Enquiry*, 1/2, 1948, p. 5-7. Londres.

_____. "The Scientific Evidence for Extra-Sensory Perception". *Discovery*, X, 1949, p. 373-377. Londres.

SOAL, S.G. & BATEMAN, F. *Modern Experiments in Telepathy*. Londres: [s.e.], 1954.

SPEISER, A. *Über die Freiheit* Basler Universitätsreden XXVIII. Basileia: Helbing & Lichtenhahn V., 1950.

STEKEL, W. "Die Verpflichtung des Namens". *Mollsche Zeitschrift für Psychotherapie und medizinische Psychologie*, III, 1911, p. 110s. Stuttgart.

THEATRUM CHEMICUM. 6 vols. Ursel/Estrasburgo: [s.e.], 1602-1661. Citado neste volume: I DORN, Gerhard: Speculativa philosophia, p. 255-310. Philosophia meditativa, p. 450-472. De tenebris contra naturam et vita brevi, p. 518-535. II EGÍDIO DE VADE: Dialogus inter naturam et filium philosophiae, p. 95-123.

THORNDIKE, L. *A History of Magic and Experimental Science*: During the First Thirteen Centuries of our Era. 6 vols. Nova York: Macmillan, 1929/1941.

TYRRELL, G.N.M. *The Personality of Man*. Harmondsworth/Nova York: Penguin Books A 165., 1946.

WEYL, H. "Wissenschaft als symbolische Konstruktion des Menschen". *Eranos Jahrbuch*, XVI (1948). Zurique: Rhein V., 1949.

WILHELM, R. *Chinesische Lebensweisheit*. Darmstadt: Reichl V., 1922.

WILHELM, R. (org.). I Ging. Das Buch der Wandlungen. Jena: Eugen Diederichs V., 1924. [Edição de bolso. Düsseldorf-Colônia: [s.e.], 1960].

WU, L.-C. & DAVIS, T.L. An Ancient Chinese Treatise on Alchemy entitled Ts'an T'ung Ch'i. *Isis*, XVIII, 1932, p. 210-289. Bruges.

ZELLER, E. *Die Philosophie der Griechen in ihrer geschichtlichen Entwicklung*. 2. ed. 6. vols. Tübingen: [s.e.], 1859.

Índice onomástico[*]

Abbeg, L. 91375
Agostinho 957149
Agrippa de Nettesheim 920-922
Alberto M. 859, 860
Aanônimo 952, 957149
Aaristóteles 923
Aavicena 859

Bayle, P. 927115
Beringer, K. 939
Bernardo T. 952
Boehme, J. 922103
Bohr, N. 91476
Burt 834
Butler, S. 92195

Cardano, J. 86953
Ch'uang-Tse 913

Dahns, F. 84231
Dalcq, A.M. 949
Dariex, X. 830, 964
Descartes, R. 927123
Deschamps 83020
Dieterich, A. 91985
Dirac, P.A.M. 952138
Dorn, G. (Gerardus Dorneus) 952
Drews, A. 91780
Driesch, H. 84332, 921
Dunne, J.W. 85237

Eckermann, J.P. 860
Egídio de V. 921

Ficino, M. 920
Fierz, M. 896, 933[127], 979
Filo Judeu (de Alexandria) 855, 915
Flambart, P. 868[51]
Flammarion, C. 830, 964
Fludd, R. 866[50], 952
Fontgibu, M. 830, 830[20]
Franz, M.-L. 926[112], 927[123], 952
Frey-Rohn, L. 817, 891, 926[112], 979
Frisch, K. 946, 947

Galilei, G. 861
Garrett, E. 838
Gauss, K.F. 933
Geddes, Sir A. 944
Gerardus D., cf. Dorn, G.
Geulincx, A. 860, 927[113], 938
Goddard, Sir V. 973
Goethe, J.W. 860, 869[52]
Goldeney, K.M. 956
Granet, M. 914
Greenwood, J.A. 833[23]
Grimm, J. 956[148]
Gurney, E. 830, 862

Hardy, A.C. 921[95], 949[136]
Heráclito 906
Hipócrates 920

---

[*] Os números se referem aos parágrafos do presente volume. Os números em índice ou números de chamada remetem às respectivas notas de rodapé.

Hoffmann, E.T. 921[99]
Homero 845[33]
Hutchinson, G.E. 956

Isidoro de Sevilha 866[48]

Jacobi, K. 932
Jaffé, A. 921[99]
Jantz, H. 939
Jeans, Sir J. 949, 952[140]
Jordan, P. 862[43]
Jung, C.G.
- *Aion* 921[99]
- *Der Geist der Psychologie* (O Espírito da Psicologia) 840, 846[35], 902[63], 921[91]
- *Gestaltungen des Unbewussten* 870[55]
- *Paracelsica* 922[100]
- *Psychologie und Alchemie* 922, 952[141]
- *Symbolik des Geistes* 870[54]
- *Synchronizität als ein Prinzip akausaler Zusammenhänge* (Sincronicidade como princípio de conexões acausais) 987

Kammerer, P. 824-825, 840[29]
Kant, I. 829[13], 840, 902[64]
Kepler, J. 873, 923, 925, 935[131], 952
Khunrath, H. 952
Kloeckler, H. 868[51]
Knoll, M. 872[56], 977
Koeber, R. 828
Krafft, K.E. 874[57]
Krämer, A.F. 842[30]
Kronecker, L. 933[127]

Lao-Tsé 908-910
Leibniz, G.W. 918, 921, 927s., 938, 957, 987

McConnell, R.A. 839
MacDonell, A.A. 956[148]
Maier, M. 952
Malalas 854
Meier, C.A. 928[125]
Myers, F.W.H. 830, 862

Orígenes 957[149]

Paracelso, T. 921[88], 922
Pauli, W. 839[27], 914[76], 957[113], 987
- e C.G. Jung 987
Pico della Mirandola, G. 917, 918
Platão 913, 932
Plotino 917
Podmore, F. 830, 862
Pratt 833[23]
Próspero de A. 957[149]
Ptolomeu 869[53]

Rhine, J.B. 833, 836, 837, 838, 840, 901, 902, 904, 965, 969, 970, 971
Richet, C. 830
Rosenberg, A. 918[84]

Schiller, F. 932
Schmiedler, G.R. 898[60]
Scholz, W. 831
Schopenhauer, A. 828, 829, 832, 918, 927, 938, 956
Silberer, H. 832
Sinésio 920
Smith, B.M. 833[23]
Soal, S.G. 956
Speiser, A. 909[67], 954
Stekel, W. 827[11]
Stuart, Ch. E. 832[23]
Swedenborg, E. 902, 905, 973

Teofrasto 917
Terzaghi, N. 920[87]
Thorndike, L. 866[50]
Tyrrell, G.N.M. 833[23], 839, 944[134]

Usher, F.L. 834

Virgílio 920
Vulpius, C. 862[52]

Weyl, H. 933[127]
Wilhelm, H. 976
Wilhelm, R. 866[46-47], 907, 909, 910[68], 911s.
- e C.G. Jung 866[46], 908

Zoroastro 920
Zósimo de P. 919

Índice analítico*

Abaissement du niveau mental (Janet) 841, 856, 902
Abelhas 946
Acaso (cf. tb. coincidência) 823, 931, 957, 959
- e método numérico 870
- probabilidade de 821, 895s., 901, 905
- série de acasos 825, 843, 962
- e sincronicidade 856
Acausais, acontecimentos (cf. tb. Acausalidade) 949
Acausalidade dos acontecimentos 820, 822, 824s., 827, 833, 856, 866, 949, 955, 985
Acidentes 931
Aéreo, trígono 868[51], 869[53]
Afetação planetária (Kepler) 924
Afetividade, sua importância na ESP 846, 848, 856, 970
Afeto(s) 841
Afirmação e negação 913
Ágata, marcas de (m.s.) 935
Alquimia 869, 906, 919, 952
- (Paracelso) 922
Alucinação
- levitacional 939

Amboina 842
Amor
- e ódio 859
Am-Tuat 845
Anão 956[148]
Anemia 942
Anima mundi 921, 924
Anima telluris (Kepler) 925s.
Antecipação
- no sonho 963s.
Apercepção 945
Aperiódicos, formação de grupos a. 824
Apetites (Leibniz) 927
Arcano (arcanum) (Paracelso) 922
Arche megale ἀρχὴ μεγάλη (Hipócrates) 914, 916, 920
Areeiro 935
Aritmética 933
Arquétipo(s) 856, 895, 921
- definição 840, 954
- natureza psicoide do 902, 954
- da ordem (número) 870
- de todas as coisas, Deus como (Agrippa) 920[86]

---

* Os números se referem aos parágrafos do presente volume, exceto quando se mencionam as páginas. Os números em índice ou de chamada remetem às respectivas notas de rodapé.
Abreviaturas: m.s.: motivo onírico ou de sonho
   SE: sujeito da experimentação

Arquimedes e seu Pupilo
(*Archimedes und der Jüngling*)
(Schiller) 932
Ars geomantica 866s.
Ascendente (astrológico) 869, 978, 982
Assassinato(s) 868[51]
Associação, associações
- experimento das 821
- de ideias 840, 850
Astrologia 829, 866s., 889, 906, 934, 976, 984
- fundamentos 873, 898, 977, 984
- meteorológica de Kepler 872s.
Astrológica
- situação 859
- tradição 897s.
Átomo (cf. tb. Física) 957
Atração (Kammerer) 825
- força de a. de objetos relacionados (cf. Scholz) 831
Audição, extinção da 945
Augúrios 850[36]
Auto-observação da psique 840
Axioma de Maria 952

Ba 845
Barcaça 845
Besouro-rosa 843, 857, 972
Binário (número) 952
Binarius 952

Cabeças
- masculinas (m.s.) 935
Cabiros, cena dos (Fausto II) 952
Caráter, astrológico (Kepler) 923s.
- conhecimento do 867s.
- e destino 890
Cardíaco, colapso 942
Carneiro 977
Carta, cujo conteúdo é antecipado no sonho 854
Cartesianos (Leibniz) 927
- Filosofia cartesiana 845
Cartomante 841
Casas astrológicas 866s., 977

Casos
- paciente feminina sonha com escaravelho (besouro) de ouro. Exemplo de sincronicidade 843, 850, 972
- bando de pássaros por ocasião da morte de uma pessoa. Exemplo de sincronicidade 844-851
- (Dunne) sonho antecipa erupção vulcânica na Martinica 852s.
- exemplo de paramnese em Jung. Erros (lapsos) de leitura interferem no sonho de uma pessoa 854
- ordem de distribuição dos convidados à mesa: o inconsciente faz o arranjo de quatro casamentos ☉ - ☾ 891[59]
- mulher com colapso cardíaco, prostrada no leito, vê-se a si própria a partir do teto do recinto 940s.
- (Geddes) caso de ESP durante desmaio (dissociação da consciência) 935
Castanho, homenzinho 935
Casuais, grupos, agrupamentos 826, 959, 961
- interpretação de acontecimentos 829
Categorias (Kant) 840
Causa(s)
- causa prima (Schopenhauer) 828
- primeira (Schopenhauer) 828
- transcendental 856
Causal, causais
- ponto de vista 828s., 832, 836
- relação c. entre psique e corpo 938, 977
Causalidade (cf. tb. acausalidade, finalidade) 828, 843, 855s., 907, 929, 985
- (Leibniz) 927
- mágica 905, 931
- relativização 823, 948
- (Schopenhauer) 828
Causalismo 952[140], 985

- (m.s.) 935
Cerebral, cerebrais
- anemia 942
- córtex 945s.
- lesões 939
Cérebro (v. substrato orgânico, sistema nervoso e psique) 937
- córtex cerebral 945-947
Cetonia aurata (besouro-rosa) 843, 972
Céu(s) 916, 920
- ascensão aos, experiência de 939
- e terra (Paracelso) 922
China 863
Chinês, chinesa
- Filosofia 863, 865, 907, 931, 907-912
- pensamento 914, 934
Ciência(s)
- naturais 829, 864, 931, 950
- e cosmovisão 907, 918
Científica
- explicação c. (Leibniz, Schopenhauer) 829, 856, 918
Cinco 866, 925
Clarividência 862[43], 955, 964, 973
Classe(s)
- de acontecimentos 934
Coeli, Medium e Imum 875
Coincidência significativa 827-870, 901-938, 955-985
- e acaso 823
- casual 914
- exemplos 830s., 844, 852s.
- (Schopenhauer) 828
- (Silberer) 832
Colapso 943s.
Coletivo(s), coletiva(s)
- inconsciente 840, 843, 921
Colunas, feixe de (m.s.) 935
Complementaridade
- na física (P. Jordan) 862[43]
Conhecimento (tb. reconhecimento)
- absoluto 902, 913, 920, 938
- anterior a qualquer estado de Consciência 843[32], 856, 865

- condições psicológicas 928, 948
- inato 921
- inconsciente 865, 902, 921, (Leibniz) 927
- intuitivo 865
- prévio (cf. tb. precognição) 921, 964
Coniunctio Solis et Lunae (cf. tb. conjunções) 869, 894
Conivência entre o material e o experimentador 898
Conjunções planetárias 869, 875s., 894, 899s., 977
Consciência
- continuidade da c. no sonho 847
- estado momentâneo da 936[132]
- e inconsciente 850, 895
- limiar da 902
- localização d.\ 945
- secundária no inconsciente 947
Constelação, constelações
- dos conteúdos psíquicos 850, 895
Conteúdos
- arquetípicos 825[9]
- inconscientes (subliminares) 863
Contingência das equivalências arquetípicas 954, 958
Continuidade, forma como c. superior 944 (Dalcq)
Cópia(s), retrato(s), reflexo(s)
- e imagens (εἴδωλα) 932
Cor (coração) 921
Coração
- mal do 844, 851
Corpo(s) (Kepler) 924
- e alma 938
- os cinco corpos harmônicos 925
- em movimento 968
Correspondência(s) 829, 921, 938, 952, 956
- (Kepler) 925
- princípio de 905
- teoria da c. na Idade Média 914, 918, 985
Cosmovisão 913

Craniana, lesão 939
Creatio continua 957
Criação, atos de 902, 955, 957
Criador
- Deus como C. (Filo) 915, 920[86]
Criptomnésia 845
Cristais 925, 935
Cristo
- e a Igreja 917
Crocodilo 931

Dados (peças de jogar) 866[49]
- experimentação com 837, 967
Dança(s)
- do dardo 957[148]
Demônio(s) 920[86]
Descendente (astrológico) 869
Descontinuidade na Física 955, 957
Desejos 859, 956
Desmaio 940s.
Destino(s) (Schopenhauer) 828
Determinismo 934
- (Schopenhauer) 828
Deus, deuses 917s.
- conhecimento de 825
- e criação 957[149]
- o Sol como D. 845
- Tao 907
Diabo 952
Dilema entre o três e o quatro 952
Distância psiquicamente variável 835
Distúrbio(s)
- provocados pelas reações 821
Divinos, atrativos 920
Doença(s), enfermidade(s)
- dos primitivos 931
Duplicação de casos 824, 959

Efeito 840, 949
Efemérides (astr.) 869
Egito 845
Eide εἴδη 932
Eidola ἔιδωλα 932
Elementos 920[86]
- transformação dos 952

Eletromagnéticas, tempestades 872
Emocionalidade 892
- da alma 859
- do sujeito da experimentação 846, 856, 902
Empíricas, Ciências 833
Empirismo 821
Energético(s), energética(s)
- fenômenos, ESP como 836, 840
Energia
- lei da conservação da 953
- quantum, quantidade de 956
- transferência de e. como explicação da Astrologia 829
Enteléquia
- (Leibniz) 927
Entendimento (Ch'uang-Tse) 913
Epistemologia crítica 920
Época, espírito da 860
Equivalência
- psicofísica 932[126], 952s., 985
Ericipaeus Ἠρικεπαῖος 854
Escarabeídeo 843, 972
Escaravelho 843-850, 855, 857, 974
Espaço(s) 933[127]
- relativização 837, 957
- e tempo 813s.
- e causalidade 937, 948, 951, 957
- relativização psíquica 837, 840, 856, 902, 938, 968
Espada 917, 957[148]
Espelho do universo (Leibniz) 927
Espírito
- e alma do mundo (Agrippa) 921
- da época 860
Espíritos
- e almas (Leibniz) 927
Estatística, a 864, 868, 948
Estatístico, estatística(s)
- experimentação 899
- método 825, 901, 903, 907
- validade e. das leis da natureza 828
- verdades 818
Estocolmo 902, 905, 973
Estrela(s) 919s.
Eterna, presença 957[149]

Eu
- e não eu 913
Euforia 939
Experiência 816, 828
- do déjà-vu 964
Experimento(s), experimentação
- astrológica 872-905
- científico(a) 821, 856, 864s.
- com dados 837, 967
- estatística 892, 899
- intuitivo(a) ou mântico(a) 865
- experimentação PK (psicocinética) 837, 863, 967, 971
- com a ESP 848, 863, 903, 906, 937, 956, 965
- psicológica 892s.
- de Rhine 833s., 837, 840, 847s., 856, 898, 901, 930, 985
- sujeito da 833, 846, 892, 902s., 970
- valor da 848
Extra-sensory perception (ESP) 833[23], 838s., 855, 944s., 973s.

Facultas formatrix (Kepler) 925
Fatalidade (Fatum) (Schopenhauer) 828, (Virgílio) 920
Fausto (Goethe) 952
Fé (v. tb. crença) 984
Filme batido duas vezes (exemplo de sincronicidade) 831
Filosofia(s)
- cartesiana 845
- de Paracelso 922
- de Platão 932
- de Schopenhauer 828
Final, (Leibniz) 927
Finalidade
- e causalidade 825
- psíquica 843[32]
Física 949
Fogo
- visão de Swedenborg 902, 905, 974
Forma
- (Dalcq) 949
Formal, fator f. na natureza 934s.

Formigas 897
Fósseis 925

Galinhas e pintainhos - (Paracelso) 922
Galo(s) 935
Ganglionar
- sistema 945s.
Geomancia 866, 976
Geometria (Kepler) 923
Global, apreensão da situação 863, 914
Grafologia 867
Grou 850[36]
Gûngnir 957[148]

Harmonia
- h. preestabelecida 820, 948
- (Leibniz) 927s., 938, 956, 985
Hen to pan Ἓν τὸ πᾶν 828
Hexagonais, figuras 925
Hexágono 869[53]
Hexagrama 866, 976
Hierógamos 895
Hipostasiação
- do espaço e do tempo 840
Homem (varão), homens
- homenzinho castanho (m.s.) 935
- horóscopo matrimonial do 884
Homem (ser humano) (Paracelso) 922, (Leibniz) 927
- imagem e semelhança de Deus 922
- ligação entre três mundos (PICO) 918, (Boehme) 922
Horóscopo 868s., 872, 875s., 890
- matrimonial 875, 977s.

Íbico 850[36]
Idade Média 934
Ideia(s), representação, representações, conceitos
- formação de na Alquimia 906
- inatas (tb. preexistentes) 921
- de Platão 932
I-Ging 863, 865s., 867, 895, 976
Igreja 917, (m.s.) 963

Illecebrae symbolicae (Sinésio segundo Agrippa) 920
Illices divinae (Zoroastro segundo Agrippa) 920
Imagem, imagens
- do inconsciente 856, 858, 921
- de peixes 826s.
Imaginação
- e experimento de Rhine 840
Imitação (Kammerer) 325
Imum Coeli 875[58]
Inconsciência
- estado de 939s.
Inconsciente
- importância para a ESP 840
Indeterminismo 828
Inércia 825
Informação, informações 946
Inspiração
- instinctus divinus (Kepler) 923
Intelecto 863, 954
Interesse(s)
- do sujeito da experimentação (ESP) 838, 846, 898, 902s.
Interior(es)
- experiência 816
Intuição, intuições 363s., 866
Iod 921

Jardim
- (m.s.) 935
Julgamento(s)
- subliminar 945
Júpiter, luas de 861

Kheperâ 845

Lapis philosophorum 921
Lei da série (Kammerer) 824
Leitura, erros, lapsos de 853s.
Lesão, craniana 939
Levitação, sensação de 939, 945
Ligamentum animae et corporis 921
Linguagem
- neutra (Pauli) 950

Lua 869[53], 875, 882s., 889s.
- curso da 842
Lúcifer 921
Lunae et Solis coniunctio 864, 894
Lunares, conjunções 900s., 982
Luz
- contraste obscuridade-clareza da consciência 841
- primordial 854

Mãe
- a Grande Mãe, 851
- do mundo 908
Magia 859
- (Avicena e A. Magno) 859
Mágico 931
Mágico(s), mágica(s)
- ato, procedimento, operação 930, 948, 956
- ferramentas 956[148]
Magnetismo 850, (Goethe) 860, 977
Mandala 870
Mandrágora, homúnculo da 821
Mântico(s)
- experimento 901, 906, 930, 976
- método 895, 902, 976
- procedimentos 869
Maria
- Axioma de 952
Marinho, monstro 826, 961
Marte 869, 892
Martelo 957[48]
Matemática 870, 917, 932
Matéria 949
- e psique 938
Materno, ventre (Kepler) 925
Matrimoniais
- horóscopos 875, 977s.
- uniões 869, 979s.
Medição
- na Física 840
Medicina 904
Médico 845[34]
- Paracelso 922
Médium 838

Meia-vida 949
Memória 939
- imagens da 939
Menstruação, período da 842
Mental, mentais
- atividade 952[140]
Metais 925
Metis 854
Método
- para a apresentação de um estado interior como exterior, e vice-versa 863
- casuístico 825
- mântico 863, 895, 902, 984
- numérico 870
Microcosmo
- e macrocosmo 916, 918-922
- homem como 927
Microfísica 818, 862
Milagre 848, 904, 985
Milefólio 865[44], 866, 976
Minerais 925
Miölnir 957
Mitologema(s) (cf. tb. mito)
- filosófico 828
Mitra
- culto de 919
Moedas 865, 976
Mônada (Leibniz) 927s.
Monge 925
Monstro 826, 960
- marinho 826, 961
Montanhosa, região (m.s.) 935
Morfogênese biológica 949
Mortalidade, taxa de 872, 977
Morte
- como conteúdo (objeto) de sonhos telepáticos 852, 857
- precognição (premonição, previsão) da 830, 850, 946
- entre os primitivos 931
- suicídio 868
Mulher
- horóscopos matrimoniais de

Mulheres 884
Mundo (Pico) 920[86], (Paracelso) 922
- alma do 917, 921
- fator constitutivo do 954
- imagem, ideia do 825, 829, 952, 971
Música (Kepler) 924

Nada (Tao) 900
Narcose 940
Nascimento (Pico) 918[82]
- datas de 869, (Kepler) 924
Natural, naturais
- Ciências 829, 864, 931, 950
- e cosmovisão 907, 918
- explicação 905
- leis 818, 821, 828, 905, (Jeans) 949
- processo (Schopenhauer) 828
Natureza
- (Schopenhauer) 828
Navio 925
Negro, quadrado (m.s.) 935
Nervoso, sistema
- cérebro-espinal 945
Neurose(s)
- psicologia da 840
Neurótico(s) (indivíduo) 840[29]
Nigromancia, livros sobre 859
Nome 827[11], 939
Numen
- e lumen (Paracelso) 921
Número 870, 933[127], 955
- idêntico 824, 959
- relativo, como medida da força consteladora 865
- sagrado 870
- série natural dos 870
- de um até doze (Agrippa) 921
Numinosidade
- do arquétipo 841, 902
- do número 870
- de uma série de acasos 825[9]

Objetividade dos acontecimentos 855
Observador
- e objeto observado 950
Odin 957[148]
Ódio, amor e 859
Olho(s)
- interior 913
Omen, omina 829, 851
Oposições planetárias 872, 875, 977
Opostos, união dos 894
Oração 956
Oráculo 865, 920, 976
Órbita de Urano 932
Ordem 870
Ordem (ordenamento, arranjo) dos acontecimentos 906, 934, 938, 949, 955
Orfismo 854
Organismos inferiores 937
Oriente
- e Ocidente 906
Oulomelie οὐλομελίη (Hipócrates) 920
Ouro
- escaravelho de 843, 845, 572
Ouvido interior 913
Ovo (Paracelso) 922

Paisagem alucinatória 940
Paixão 859
Palavra(s)
- significado das 913
Palolo, verme de 842
Papa, Papas 925
Parábola (tb. comparação)
- de Bernardo Trevisano 952
Paradoxo(s)
- físicos (materiais) 828, 914
Paralelismo
- preestabelecido (Leibniz) 927
- psicofísico 938, 948
Paralelos simbólicos 845
Paralelos
- fatos, fenômenos p. acontecimentos psíquicos exteriores como 850, 905

- simbólicos 845
Paramnésia 853
Parapsicologia 934
Parto com fórceps 940
Pássaro(s), ave(s)
- pássaro-alma 845
- bando de 844s., 850s., 855, 857
Pattern of behaviour 841, 921[95]
- instinctual pattern 856
Pedra 935
Pega 850[36]
Peixe(s) 826s., 925, 960, 977
- símbolo do 827
Penas
- veste de 845
Pensamento(s)
- globabilidade 914
- primitivo, mitológico 929s.
- transcerebral 945
Percepção, percepções 921
- de acontecimentos futuros 836, 852
- cinestésica 945
- (Leibniz) 927
- sensoriais 945
- subliminares 856, 945, 954
Perdidos, objetos 831
Períneo, ruptura do 940
Personificação
- do inconsciente 935[128]
Perturbações
- magnéticas da Terra 872, 977
Pesadelo 852
Pescoço, dor no 850
Peso, sensação de 939
Pessimismo
- (Schopenhauer) 829
Phanes 854
Phantasms of the living 830
Planetas 867
- Kepler 926
Platônicos, os 920
Possessão
- do animus 845
Possibilidade de ocorrências 822
Praesagia 829
Precessão dos equinócios 977

Precognição 962, 964
Preconceito(s) 823
Preexistente(s)
- psique 938
Prefiguração 829
Prévio, conhecimento 921, 964
Primitivos
- espaço e tempo dos 840
Probabilidade(s) 954, 956
- de acasos 821, 895, 901, 959
- cálculo de 830, 965, 979
Projeção, projeções 866
- arquetípicas 920
Prótons solares 872s., 977
Providência (Schopenhauer) 828
Psicocinesia (PK) 837
Psicofísica, relação 938
Psicofisiológicas, disposições 873
- inconsciente 840, 902
Psicologia
- do argumento matemático 870
- empírica 905
- moderna 920, 935
Psique
- preexistente 938
Psíquico(s), psíquica(s)
- estado p. do SE 892, 898
Psíquico, o
- e o físico 895
Pudim de passas 830

Quadrados (m.s.) 935
Quadricornutus serpens 952
Qualidade(s)
- do tempo 977
Quantidade(s)
- comparação do momento preciso do nascimento (Kepler) 924
Quantitativo, quantitativa
- avaliação 823, 825
Quarta dimensão 952
Quartis, aspectos (astrol.) 872, 977
Quaternidades 870, 952
Quatérnio 866
Quatro 952

Racionalidade das coisas 912
Racionalismo 845, 972
Radioatividade 949, 953, 956
Radiometeorologia 872
Raros, acontecimentos 821
Razão 918
Realidade 912
Reis 925
Relógios, imagem dos r. sincronizados (Leibniz) 927
Renascimento (novo nascimento)
- símbolos de 845
Resistências 972
Retrato (cópia) dos instintos 954
Rocha (m.s.) 935
Rochoso, cone (m.s.) 935
Rotundum 919

Sangue, perda de 940
Scala unitatis (Egídio De Vade), 921
Sementes 918[82]
Sens du réel 863
Sensação
- e intuição 863
Sensível e suprassensível (Teofrasto) 917
Sensoriais
- percepções 945
Sentido, significado
- equivalência de 865, 905
- o homem e o 905s.
- do mundo 918
- Tao (Wilhelm) 907-915
Sereia 821
Serialidade
- lei da série (Kammerer) 824s.
- série de acasos 962
Séries de acasos 825, 843, 962
Serpens quadricornutus (Dorn) 952
- como alma dos mortos 931
- de quatro chifres (cf. tb. quadricornutus serpens) 952
Serpentina (m.s.) 935
Sextis, aspectos (astrol.) 872 977
Significado, sentido

- apriorístico 905, 932, 952, 985
- subsistente por si mesmo 934 938
Significativo(s), significativa(s)
- comportamento s. dos organismos inferiores 937
- conexão cruzada 827 905
- relação recíproca (v. tb. coincidência) 917
Signos zodiacais 859
Simbólica(s)
- iscas 920
Simbolismo
- arquetípico 845
Símbolo(s)
- do peixe 816, 826
- do Si-mesmo 870
Si-mesmo, o 870
Simpatia de todas as coisas 850
Simpático, sistema 945, 947
Simulacra 921
Simultaneidade 840s., 850, 855, 865, 906, 919
- (Schopenhauer) 828
Síncopes 939
Sincronicidade 828, 841, 849, 852, 855, 906, 931s., 932, 934, 937, 945, 948, 950, 952, 955, 959, 983, 985, 987
- astrológica 924, 926
- definição 855
- fenômenos de 816, 841, 855, 858, 895, 898, 901, 906, 921
- numinosidade da 870
- prova astrológica da 871
- como regra absoluta 928
Sincronismo 849, 927
Sincronístico(s)
- fenômenos 841, 855s., 859, 860, 863, 873, 898, 928, 938, 940, 945, 948s., 955, 975s.
- princípio 866[46], 906, 928
Síncronos, acontecimentos 852, 855, 975
Sistema(s)
- ganglionar 945s.
Society for Psychical Research 929

Sol 921
- como Deus 845
- e Lua 869[53], 875, 881, 890, 978
- nascer do 845
Solares
- irradiação dos prótons 872s., 977
- períodos das manchas 872
Soldados 925
Solis et Lunae coniunctio 869, 894
Sonho(s) (Schopenhauer) 828, 857, 947
- antecipatórios 963, 973
- arquetípicos 847
- de uma consciência mais abrangente (v. Scholz) 831
- exemplos 826, 843, 852, 854, 925, 960, 972
- interpretação 935[128]
- repetições 935
- significado, sentido dos 935
Spiritus
- mundi 921
Subjetivo, subjetiva
- conexão subjetiva e objetiva dos acontecimentos da vida de um indivíduo (Schopenhauer) 828
Subliminares
- conteúdos 863
Substrato 945
Sucessão (tb. ordem, arranjo, ordenamento) de acontecimentos 906
Sugestivos, efeitos s. do nome 827[11]
Suicídio (cf. tb. assassinato) 863
Superstição 848, 956
Sympathia 938, 956, 985

Tao 907-913, 931
Tao Te King 908
Teleologia/caráter dirigido dos processos biológicos 921
Telepatia 830, 921[95], 929, 964, 973
Tempo 955, 957[149]
- espaços de 855

- multidimensionalidade (Dirac) 952[138]
- como quarta dimensão 952
- relativização do 837s., 968
Terra
- aceleração do movimento da 842
- importância da T. na Astrologia de Kepler 923-926
Terrestre, perturbações do magnetismo 872
Terror 940
Tétradas 870, 951
Tetrádico, princípio 866
Tetragrama 921
Thelgomenon τò θελγομενον (Sinésio) 920[87]
Tipo(s) 954
Tor 957[148]
Totalidade
- imagens de 370
- da natureza 863s.
Transcendental, transcendentais
- causa 856
- imagens 932
- significado 905, 938
- vontade (Schopenhauer) 828
Transespacialidade 911
Transferência 930, 964
- como explicação da ESP 840, 964
Transgressividade dos arquétipos 954
Três 866, 952
Três mundos (Boehme) 922[103]
Tríade(s) 870, 890, 952
Triádico
- princípio 866
Trigramas 866
Trígono aéreo (astrol.) 868[51], 869[53]
Trígono, aspecto (astrol.) 977

Trindade 854, 917, 952
Triplicação (de casos) 824
Tundra (m.s,) 935

Únicos (raros), acontecimentos 821
Unicórnio 821
Unidade
- e multiplicidade simultâneas 828, 870
- do ser 950
- de toda a Natureza 865
- tríplice (Pico) 917s.
Urano, órbita de 932

Varinha de condão (varinha mágica) 956
Vento 830
Vênus 86
Verdade 818
Verde
- prado verde-esmeralda 940
- serpentina (m.s.) 935
Verossimilhanças (congruência) 957
Vida 937
Vidro (m.s.) 935
Visão, visões
- de Swedenborg 905, 974
Vivo, corpo (organismo) 917
Vontade 895
- de Deus 917, 927
- Schopenhauer 828

Wavo 842

Yang e yin 863, 865s.

Zodiacais, significado dos signos 867

Conecte-se conosco:

 facebook.com/editoravozes

 @editoravozes

 @editora_vozes

 youtube.com/editoravozes

 +55 24 2233-9033

www.vozes.com.br

Conheça nossas lojas:

www.livrariavozes.com.br

Belo Horizonte – Brasília – Campinas – Cuiabá – Curitiba
Fortaleza – Juiz de Fora – Petrópolis – Recife – São Paulo

  Vozes de Bolso

EDITORA VOZES LTDA.
Rua Frei Luís, 100 – Centro – Cep 25689-900 – Petrópolis, RJ
Tel.: (24) 2233-9000 – E-mail: vendas@vozes.com.br

Clóvis de Barros Filho
Oswaldo Giacoia Junior
Viviane Mosé
Eduarda La Rocque

POLÍTICA

NÓS TAMBÉM ~~NÃO~~ SABEMOS FAZER

© 2018, Editora Vozes Ltda.
Rua Frei Luís, 100
25689-900 Petrópolis, RJ
www.vozes.com.br
Brasil

Todos os direitos reservados. Nenhuma parte desta obra poderá ser reproduzida ou transmitida por qualquer forma e/ou quaisquer meios (eletrônico ou mecânico, incluindo fotocópia e gravação) ou arquivada em qualquer sistema ou banco de dados sem permissão escrita da editora.

CONSELHO EDITORIAL

Diretor
Gilberto Gonçalves Garcia

Editores
Aline dos Santos Carneiro
Edrian Josué Pasini
Marilac Loraine Oleniki
Welder Lancieri Marchini

Conselheiros
Francisco Morás
Ludovico Garmus
Teobaldo Heidemann
Volney J. Berkenbrock

Secretário executivo
João Batista Kreuch

Editoração: Fernando Sergio Olivetti da Rocha
Diagramação: Sheilandre Desenv. Gráfico
Revisão gráfica: Nilton Braz da Rocha / Nivaldo S. Menezes
Capa: SG Design

ISBN 978-85-326-5738-1

Editado conforme o novo acordo ortográfico.

Este livro foi composto e impresso pela Editora Vozes Ltda.